SO-AFQ-474

BECKET OU
L'HONNEUR DE DIEU

Courtesy Agence de Presse BERNAND

PQ
2601
N6.7
B4
1969

110376

Jean Anouilh

BECKET OU
L'HONNEUR DE DIEU

edited by

Bettina L. Knapp
Alba della Fazia

**both of Hunter College of the City University
of New York**

BIP'87.

APPLETON-CENTURY-CROFTS
EDUCATIONAL DIVISION
New York   **MEREDITH CORPORATION**

GOSHEN COLLEGE LIBRARY
GOSHEN, INDIANA 46526

Copyright © 1969 by
MEREDITH CORPORATION
All rights reserved

This book, or parts thereof, must not
be used or reproduced in any manner
without written permission. For infor-
mation address the publisher, Appleton-
Century-Crofts, Educational Division,
Meredith Corporation, 440 Park Avenue
South, New York. 10016.

730–2

Library of Congress Card Number: 69–19996

First published in Great Britain 1962
by GEORGE G. HARRAP & CO. LTD 182
High Holborn, London W.C.1 *Reprinted:*
1964 (*twice*); 1965 (*twice*); 1966; 1967

*First published in the French language
by La Table Ronde in 1959*

*English edition with Introduction and
Notes* © *George G. Harrap & Co. Ltd
1962 Copyright. All rights reserved*

PRINTED IN THE UNITED STATES OF AMERICA
390–03377–4

introduction

Becket's role in history is a provocative and controversial one. Historians and poets, generally speaking, look upon this twelfth-century English bishop as a true martyr who exemplified saintly qualities. A few, including Jean Anouilh, have chosen to demonstrate the intrinsic absurdity of Becket's sacrifice, which lacks religious motivation and is inspired by purely esthetic considerations. Anouilh expressed his startling and almost revolutionary point of view in the play *Becket*, a highly successful theatrical production that became an equally popular film.

How can one account for the enormous appeal today of a work dealing with religious and political conflicts in medieval England? The answer lies in the fact that Anouilh, one of France's outstanding living playwrights, knew exactly how to express in dramatic form those preoccupations which are as vital to man now as they were centuries ago. The questions of government and of the church—the function and efficacy of each in dealing with man's growingly complicated problems—have now been brought to light by Anouilh's courageous handling of contemporary man's painful dilemma.

Despite Anouilh's great popularity as a playwright, few biographical facts are available to the public. "I have no biography," he once said, "and I'm very happy about this." Anouilh seeks to perpetuate this state of affairs by shrouding his personal life in mystery.

Born in Cérisole, a small town near Bordeaux, on June 23, 1910, Anouilh received his primary and secondary education in Paris, where he also studied law for a year and a half. Working for an advertising agency in 1929 proved to be an experience which he found instructive but far from lucrative. He subsequently served, during 1931–32, as secretary to actor-director Louis Jouvet at the

v

Comédie des Champs-Elysées, during which time he married the actress Monelle Valentin.

Anouilh led a meagre existence during his first years of married life, with neither financial security nor recognition to show for his efforts. His initial attempts at playwriting proved to be outright failures, and the success of *L'Hermine* in 1931 was no more than moderate. It was not until 1937 and the production of *Le Voyageur sans bagage* that Anouilh began to enjoy steadily increasing success.

With the oppressive burden of supporting a wife and child somewhat lightened, Anouilh began to devote himself increasingly to the theatre. His plays continued to attract audiences not only in Paris but in New York and London as well. Two events then brought significant personal changes: The outbreak of World War II drove the playwright, who refused to play any active political role, into complete immersion in his work; and his marriage to Monelle Valentin having ended in divorce, he married another actress, Charlotte Chardon, in 1953.

By 1960 Anouilh's career in the theatre took on another dimension—stage directing—for which he soon gained recognition. As his fame grew, he further withdrew from Parisian social and political life in order to devote all of his energies to the now dual aspect of his art. While working on his adaptation of Shakespeare's *Richard III* in 1963, Anouilh suddenly halted his work. Although rumor had it that this was due to a supposed disagreement with the De Gaulle government, Anouilh himself refused to offer either comment or explanation. For five years, he remained withdrawn from the world of the theatre, but in 1968, bored by his own silence, he brought a play that pours out his execration of bourgeois parents to the boards of the Comédie des Champs-Elysées.

Anouilh has labelled his plays *pièces noires* (black), *pièces roses* (pink), *pièces brillantes* (brilliant), *pièces grinçantes* (jarring) and *pièces costumées* (costumed), classifications descriptive of the basic tone of the plays in each category. The *pièces noires* reveal most forcefully the author's bitter and cynical resentment of a world that has abandoned purity, devotion, and loyalty, a world in which love and sincerity have become meaningless. Trapped in a realm where honor does not exist, the truly noble individual, the Anouilh hero, must fight unceasingly to free himself from the clutches of a corrupt society. His fight is valorous and wholehearted, but because he is so vastly outnumbered by the base, cruel masses of humanity, the struggle can end only in his own death or insanity.

In the *pièces roses,* Anouilh offers his foredoomed protagonist a third alternative—escape through illusion or multiple personality. Since the hero cannot long survive among mankind as it really is, Anouilh allows him to create a fantasy, an environment (either mental or physical) of music and mystery, where he can find shelter and dreamlike security in a world of his own creation.

The *pièces brillantes* provide the common meeting ground where the *pièces noires* and *roses* coincide. Here, blending the dismal and the bright, Anouilh presents the reader with both the ugliness of reality and the kindness of illusion.

The *pièces grinçantes* also provide a meeting ground on which tragedy and comedy come into conflict; because these elements are irreconcilable, the effect is jarring. These dramas are similar to the *pièces noires,* with a change of emphasis from the heroic individual to the mediocre masses.

The somber mood of the *pièces noires* is also present in the *pièces costumées,* where Anouilh concentrates on such notable historical figures as Joan of Arc, Napoleon, Louis XVIII, and of course, Becket.

Although these various groupings separate and classify Anouilh's plays, his theatre can easily be viewed as a unity insofar as the author is at all times concerned with portraying what is for him one basic vision of humanity, a vision that is fundamentally *noir.* Whether the blackness is moderate or intense, whether a Joan of Arc or an inconspicuous milliner named Amanda is being portrayed, the theme and the significance of the characters are the same; the plots and the settings vary from play to play, yet the nature of the conflict remains constant.

Anouilh sees the world as clearly divided between heroic individuals and mediocre masses, with the two "races" (as he refers to them) in eternal opposition. The mediocre race will make compromises, will say "Yes" to life in order to preserve the harmony and tranquillity of its sterile perpetuation; it "will sell itself" out for whatever happiness it can purchase in return. The heroic race, in its purity and intransigeance, will refuse all compromise, will say

"No" to life and reject the peace afforded by a routine and unchallenged existence; happiness, because of its impure and compromising nature, is a luxury that the hero cannot afford.

Because the world is one of insincerity and expediency, because society is composed principally of masses incapable of understanding those who seek something higher and more meaningful, the heroic individual must live in a constant struggle against those who, fearful lest the peaceful order of things be upset, seek to destroy him. The conflict is unavoidable, and although the hero is aware that his struggle is futile and will ultimately result in his death, either actual or symbolic, he has no alternative but to continue fighting. He has chosen to champion tirelessly the cause that has enveloped him and has virtually become his *raison d'être*. The specific cause is not important; what *is* important is that the hero, unlike the masses, has committed himself. He is what Sartre terms *un homme engagé*. He has taken a course of action that will bring some meaning to his otherwise empty existence.

Anouilh distinguishes humanity not only in terms of the mediocre and the heroic but also in terms of the rich and the poor. As with the former races, the "race of the rich" and the "race of the poor" are two separate and opposing forces. It is always the poor race that produces heroes. While the upper class spends its time in a futile effort to cope with the problems of wealth and position, the lower class is busy producing heroes and geniuses. Nevertheless, although the rich race is, by its very nature, incapable of fathering heroes, the poor man is not always necessarily heroic. Within the poor race itself, Anouilh makes an ever-recurring distinction between the mediocre and the heroic, the happy and the unhappy—between those who take refuge in a life of corruption and superficiality and those who reject the comfort and security of a happy existence.

This rejection of "the good life," although totally incomprehensible to the masses, is a conscious and deliberate act on the part of the hero. To attempt to argue or reason with him would be futile. If he appears not to understand, it is only because he does not wish to understand, because he has indeed understood and has been revolted by what he has seen. The heroic individual scorns a "reasonable" society—one plagued with weakness and hypocrisy, with pettiness and banality—and clings stubbornly to the rigorous demands of an honor for which he has chosen to die. He will accept what he conceives to be his duty in the full knowledge that his task is futile, that the rest of the world will never understand; he will live a hard and isolated life with only one reward— the satisfaction that in the face of loneliness, fear, and death itself, he has remained rigidly true to himself and his ideals.

This theme—the hero's insistence on remaining pure and intransigeant in the midst of corruption and compromise—is the essence of Anouilh's theatre. Forcefully present as the underlying conflict in all of his dramas, the theme is best illustrated in the *pièces costumées,* and especially in *Becket,* one of Anouilh's most famous theatrical works.

Anouilh wrote *Becket, ou l'Honneur de Dieu* purely by chance. One night during the summer of 1958, to help her get to sleep, Anouilh gave his wife a copy of Augustin Thierry's *The Conquest of England by the Normans.* After finishing it, his wife, overcome by the beauty of the story, suggested that her husband write a play about it. Without any plan or forethought, Anouilh sat down and in fifteen hours completed the first part. He did not return to the half-finished play until the next summer, when his wife urged him to complete it. In another fifteen hours, he had finished the second part. The entire play took little over a day to write.

The story of Thomas à Becket, known also as Saint Thomas Becket or Thomas of London (1118?–1170), is the account of an English prelate who served as Archbishop of Canterbury from 1162 to 1170 and uncompromisingly defended the rights of the Church against the interference of King Henry II. After openly defying the King, he was forced to flee to France in 1164 but papal pressure having brought about a reconciliation, Thomas returned to England in 1170. On December 29, in Canterbury Cathedral, he was murdered by four knights of Henry's court. Although Thomas was canonized in 1172, his shrine was plundered by Henry VIII and his name erased from the Anglican Church calendar.

When Anouilh wrote *Becket* he was not especially concerned with historical validity, although the drama is based generally upon fact. When told by a friend that, since the time of Thierry, Becket has been proved to be a Norman rather than a Saxon, Anouilh did not even consider altering his play. He felt that it was to the advantage of his story, which is primarily a story of friendship, that

Becket be a Saxon rather than a Norman; if accuracy was going to interfere with his central theme, then accuracy would have to be sacrificed.

The central conflict in *Becket* revolves around Henry II, Norman King of England, and Thomas à Becket, the Saxon who was Henry's dearest friend. The ideal love-friendship relationship that existed between the two is shattered when Henry names Becket Archbishop of Canterbury. Now Becket, whose loyalty was previously to the King, must forsake allegiance to the latter and defend the honor of God and the Church against all abuse.

Becket does not wish to become Archbishop, yet because the office has been thrust upon him he must fulfill it to the best of his ability. Like all of Anouilh's heroes, he must devote himself completely and without compromise to the duty that is now his— regardless of his personal feelings for God and the Church.

The play itself opens in Canterbury Cathedral, where Henry II, kneeling naked at Becket's tomb, awaits the monks who will come to flog him. As he recalls the painful memory of love and friendship, the drama begins to unfold. Before Becket's appointment as Archbishop, the close relationship between the two men was one of loyalty and devotion. They hunted together, took their pleasures together, discussed matters of state together. When, however, in an attempt to lessen the exorbitant power of the clergy, Henry names Becket Archbishop, an unresolvable conflict between the two friends arises.

Becket, perceptive and astute, is at first incredulous at hearing the King's proposal. Soon, he is frightened. He answers an uncomprehending and startled Henry with the prophetic words, "If I become Archbishop, I can no longer be your friend." Becket has already realized that if he is to defend the honor of God, he must be intransigeant and alienate himself from everything save his burdensome task of defending the Church.

Although the love the two men feel for each other is pervasive, once Becket's decision to accept the challenge of becoming Archbishop has been made, he feels a certain excitement at the prospect of fulfilling his task. Indeed, he glows with pleasure as he dons his Church vestments and casts away his "lowly" worldly garb. Now, for the first time, he will be able to play the role for which he has been destined. Nevertheless, achieving his goal is difficult because he will have to surrender the one and only meaningful aspect of his existence—his love for the King. More painful than he anticipated, his conflict grows steadily more acute because he cannot call upon the Church—for which he feels little or nothing—to give him the force necessary to sustain his struggle. Only the idea of fulfilling his role in defending God's honor as he conceives of it infuses him with sufficient courage to fight all of the Church's adversaries regardless of the fact that it will cost him his friendship with Henry and, ultimately, his very life.

Forced inevitably to oppose the King openly, Becket is exiled from England and takes refuge in France. Nevertheless, prompted by the love that still exists between them, the two men arrange to meet secretly on an icy and barren plain in a desperate attempt to find some solution, some "compromise" which will allow both the honor of God and the honor of the King to co-exist. They soon realize that no solution is possible and that each is committed to his duty despite its absurdity. The two return separately to England, where the conflict will continue until Becket is killed by the English barons.

The play closes as it opened, in the Cathedral, with the enactment of Henry's public penitence. Still kneeling naked at Becket's tomb, Henry is whipped by the monks as he cries out: "Are you satisfied, Becket? Does this settle our account? Has the honor of God been expiated?"

The relationship developed by Anouilh in the play exemplifies the conflict between Becket and Henry, who possesses none of the traits usually associated with a king. He is devoid of stature, grandeur, and astuteness. Although dimly aware that destiny forces him to "steer the ship" with a firm hand, Henry seems to be cognizant only of his great love for Becket and would gladly lighten his grip on the wheel in order to save his friend. Each time he can find a pretext for compromise he is flushed with the exciting thought that he may be able to grant Becket the pardon that would, at least temporarily, save his life.

Becket, the truly heroic individual, realizes that compromise is impossible. He knows that neither he nor the King can surrender. Once a commitment is made, it is irrevocable. The King must steer the ship. For those of purity and principle such as Becket, the demands of honor must be met. Therefore, Becket must "resist with all his might, when he [the King] steers against the wind."

Like all of Anouilh's heroes, Becket loves honor not for its own sake but for the sake of an idea of honor which he has created for himself. When Henry asks him for his mistress Gwendoline, he offers her with the words, "There is a void in me where honor ought to be." It is not until he is named Archbishop that Becket finds an honor to defend, and even then it is not God himself whom he is defending but his own concept of God's honor. When asked later by Henry if he has started to love God, Becket replies: "I have started to love the honor of God." It is not God who strengthens Becket's pursuit of honor, but rather Becket's profound sense of duty.

This sense of duty is, for Becket, eternal and unconditional; he must remain loyal to his commitment regardless of the often unbearable hardships involved. Becket relinquished his freedom when he donned the robe of Archbishop. Unlike the masses, who change their clothing at will, who alter their suits to fit perfectly and discard them once they are worn out, Becket must wear his robe until he dies. If the robe does not always fit comfortably or is a bit heavy, he must suffer under its weight.

Because Becket's credo is to do what must be done, when it must be done, and to do it wholeheartedly and completely despite its fantastic and difficult nature, his view of morality is not restricted to the conventional terms of *right* and *wrong*, or *good* and *evil*, suitable for winning the confidence and faith of the masses. His conceptions are of a different order. He feels that doing one's duty supersedes all else, and he declares: "The only thing that is immoral is . . . not doing what is necessary when it is necessary."

Insolent in his absolute faith in himself, his perceptions, and his convictions, Becket is above caring whether or not those around him understand. When Henry tries to reason with him, when he pleads for logic, Becket answers: "That's not necessary, my King. The only thing necessary is to carry out in an absurd way what has been assigned to you."

Becket's commitment is obviously esthetic rather than ethical. It is his sense of what an archbishop's defense of God should be, rather than any divine inspiration, that prompts him to remain pure, to play his role to the last detail; every gesture, every action, must be the perfect expression of what *he* conceives to be an archbishop's defense of the honor of God. Because he must play out his concept of honor until the last moment, he meets his death meticulously garbed, with every hook and eye in his intricate robe properly attached. He is fully and triumphantly aware of his role when he proclaims that "The honor of God . . . has permitted that I be killed in my Primatial Church. That is the only decent place for me." This is Becket's inevitable and absurd duty.

Becket has accepted his duty, absurd though it be, because he has been unable to find any solid truth in the world. Because he cannot accept the banality and emptiness of the religious and political institutions to which the masses respond, he must reach for something higher, some truth in terms of which he can define himself and his actions. By thrusting the office of Archbishop upon him, Henry has offered Becket an absolute truth which he can serve devotedly until his death. By rejecting all else and committing himself to the defense of his conception of God's honor, Becket has made his life purposeful and the world around him ordered; he has found something which has enabled him to rise from the depths of mediocrity and meaninglessness.

Becket may be compared to another contemporary play that deals with the same subject, T. S. Eliot's *Murder in the Cathedral*. Written for the Canterbury Festival in June, 1935, Eliot's verse play is, unlike Anouilh's *Becket*, suggestive of classical Greek tragedy and the medieval English morality play *Everyman*. Eliot is more concerned with formal structure and ritual than is Anouilh; the active participation of a chorus and the theological and mythological elements which are an integral part of his play are absent from *Becket*. Although equally unconcerned with historical and biographical authenticity, Eliot's development differs from Anouilh's.

Eliot's *Murder in the Cathedral* is a religious drama; its protagonist is a Christ-like figure. The hero is aware that in seeking martyrdom he would be guilty of pride and arrogance, that he would be imposing his own will rather than yielding to the will of God. In a moment of anguished revelation, Eliot's Becket realizes that he cannot impose his own suffering, that he is merely an instrument of God and as such must sacrifice himself completely and unconditionally to God's will. In a veritable *imitatio Christi*, he realizes that if he is to be a true martyr, he must deny himself even the glory of being a martyr.

Whereas *Murder in the Cathedral* is a study in inner conflict, spirituality, and the nature of martyrdom written by a deeply religious person, *Becket* focuses on human relationships and the absurdity of man's lot on earth. For Anouilh, man's only satisfaction can result from the manner in which he plays out the role allotted to him by destiny—only then does his life take on structure and validity.

The painful soul-searching that Eliot's Archbishop must undergo is spared Anouilh's Becket, for he has known from the beginning that, by his very nature, he is denied any choice. The temptations of his former life of pleasure and his friendship with Henry may intensify the conflict, but they cannot influence Becket's course of action. When Henry names him Archbishop, Becket's decision is made for him; his only alternative is to defend to the best of his abilities the honor which has been fortuitously thrust upon him.

Unlike the conflict of Eliot's Becket, the struggle of Anouilh's hero is far removed from the realm of martyrdom. He is not plagued by doubt nor does he experience any revelation, for he does not see his task in terms of divine commandment, but merely in terms of his duty as a human being. Anouilh's Becket is denied the spiritual tranquillity granted those who sacrifice themselves to the will of God, for he knows that it is always *his* will which he is exerting, that it is always *his* sense of duty which he is fulfilling. The burden of life falls squarely upon his shoulders. He will also meet his death peacefully, not in the knowledge that he has faithfully served God, but in the knowledge that he has faithfully served his own sense of duty and has done his job wholeheartedly.

Like the Greek tragedy and the morality play in which it is rooted, Eliot's *Murder in the Cathedral* is tightly structured. Within the confines of strict formalism, there is an ever-present atmosphere of ritual, morality, and seriousness of purpose. The dialogue is consistent with this mood, and the resulting tone is heavy and somber. There is no place for anything which is amusing or frivolous or which reflects other than the highest moral sobriety.

The atmosphere of *Becket*, however, is of a completely different nature. With the same seriousness of purpose as Eliot, Anouilh has nevertheless created in his loosely and informally structured play a world which allows of comedy, digression and gaiety. He does not shy away from puns, slang and even indecent language. It is as though Anouilh used laughter as a weapon to allay the misery, in-justice, and absurdity of life.

Eliot's *Murder in the Cathedral* was an expression of the re-ligious and political climate to which humanity could respond in the 1930's. Today, social, political, and religious structures have been shattered. As a result, man has the difficult and painful task of creat-ing an individual code of honor that will give meaning to his exist-ence. Rather than resort to purposeless destruction the thinking person, like Becket, will search within himself for a constructive credo.

contents

BECKET ou
L'HONNEUR DE DIEU

Becket, ou l'Honneur de Dieu, staged by Jean Anouilh and Roland Piétri, was first presented in Paris on October 8, 1959, at the Théâtre Montparnasse-Gaston Baty. The play was produced in New York in 1960, with Anthony Quinn in the role of Henry Plantagenêt and Laurence Olivier as Thomas à Becket. The Paramount film production starred Richard Burton and Peter O'Toole.

personnages

LE ROI.
LES FILS DU ROI.

THOMAS BECKET.

L'ARCHEVÊQUE.
GILBERT FOLLIOT, évêque de Londres.
L'ÉVÊQUE D'OXFORD.
L'ÉVÊQUE D'YORK.
LE PETIT MOINE.

LES BARONS ANGLAIS.
LE ROI DE FRANCE.

PREMIER BARON FRANÇAIS.
SECOND BARON FRANÇAIS.

LE PAPE.
LE CARDINAL.

LA REINE.
LA REINE MÈRE.
GWENDOLINE.

PRÉVÔT, MOINES, SOLDATS, SAXONS, PAGES et
FILLES.

PREMIER ACTE

Un décor vague avec des piliers partout. C'est
la cathédrale. Le tombeau de Becket, au milieu de
la scène, une dalle avec un nom gravé sur la pierre.
Deux gardes entrent et se postent au loin, puis le
roi entre par le fond. Il a sa couronne sur la tête,
il est nu sous un vaste manteau. Un page le suit à
distance. Le roi hésite un peu devant la tombe,
puis, soudain il enlève son manteau que le page
emporte. Il tombe à genoux, priant sur les dalles,
seul, tout nu, au milieu de la scène; derrière les
piliers, dans l'ombre, on devine des présences in-
quiétantes.

Le Roi—Alors, Thomas Becket, tu es content? Je suis nu sur ta
tombe et tes moines vont venir me battre. Quelle fin, pour
notre histoire! Toi, pourrissant dans ce tombeau, lardé des
coups de dague de mes barons et moi, tout nu, comme un
imbécile, dans les courants d'air, attendant que ces brutes
viennent me taper dessus. Tu ne crois pas qu'on aurait mieux
fait de s'entendre?

Becket en archevêque, comme au jour de sa mort,
est apparu sur le côté, derrière un pilier. Il dit
doucement:

1

BECKET—On ne pouvait pas s'entendre.

LE ROI—Je te l'ai dit: «Sauf l'honneur du royaume!» C'est toi qui m'avais appris la formule, pourtant.

BECKET—Je t'ai répondu: «Sauf l'honneur de Dieu!» C'était un dialogue de sourds.

LE ROI—Qu'il faisait un froid dans cette plaine nue de La Ferté-Bernard [1] la dernière fois que nous nous sommes vus! C'est curieux, il a toujours fait froid dans notre histoire. Sauf au début, quand nous étions amis, nous avons eu quelques beaux soirs d'été tous les deux, avec des filles... (Il demande soudain:) Tu l'aimais, Gwendoline, Archevêque? Tu m'en as voulu, le soir où je te l'ai prise en disant: «C'est moi le roi!» C'est peut-être ça que tu ne m'as jamais pardonné?

BECKET, doucement—J'ai oublié.

LE ROI—On était pourtant comme deux frères tous les deux! Ce soir-là, c'était un enfantillage, ce gros garçon qui criait «C'est moi le roi!» J'étais si jeune... Je ne pensais qu'à travers toi, tu le sais bien.

BECKET, doucement, comme à un petit garçon.—Prie, Henri, au lieu de bavarder.

LE ROI, avec humeur—Tu penses comme j'ai envie de prier! (Becket va s'enfoncer doucement dans l'ombre et disparaître pendant la réplique du roi). Je les regarde, entre mes doigts, qui me guettent des allées latérales. Tu avais beau dire, quelles trognes ils ont, tes Saxons!... Se livrer tout nu à ces brutes! Moi qui ai la peau tellement fragile... Même toi, tu aurais peur! Et puis j'ai honte. Honte de cette mascarade. Seulement, j'ai besoin d'eux... Il faut que je les rallie à ma cause, contre mon fils, qui veut me croquer mon royaume tout vivant. Alors, je viens faire ma paix avec leur saint. Crois-tu que c'est drôle? Toi, tu es devenu un saint et moi, le roi, voilà que j'ai besoin de cette grosse masse amorphe qui ne pouvait rien jusqu'ici, que peser son énorme poids, courbée sous les coups, et qui peut tout, maintenant. A quoi cela sert-il, au fond, les conquêtes? Voilà

[1] **La Ferté-Bernard** *medieval city in northwestern France where Henry II and Becket met for the last time in an attempt to reach an understanding.*

que c'est eux l'Angleterre aujourd'hui—quand même, à force d'être plus nombreux et de faire des petits, comme des lapins, pour compenser les massacres. Mais il faut toujours payer le prix... C'est toi aussi qui m'as appris ça, Thomas Becket, quand tu me conseillais encore... Tu m'as tout appris... *(Il rêve un peu:)* Ah! c'était le bon temps!... Au petit matin—enfin, notre petit matin à nous, vers midi, car nous nous couchions toujours très tard tous les deux—tu entrais dans ma chambre, juste comme je sortais de l'étuve, tu entrais, reposé, souriant, léger, aussi frais que si nous n'avions pas passé toute la nuit à boire et à forniquer de compagnie... *(Il dit un peu amer:)* Pour ça aussi tu étais plus fort que moi...

> *Le page est entré avec un linge de bain, un drap blanc, dont il enveloppe le roi qu'il frotte. On entend siffler en coulisse pour la première fois, on l'entendra souvent, une marche anglaise, joyeuse et ironique qu'affectionne Becket. L'éclairage change. C'est encore la cathédrale vide, et puis à un moment Becket tirera un rideau et ce sera la chambre du roi. Leur ton d'abord lointain comme celui d'un souvenir changera aussi et deviendra plus réaliste. Thomas Becket en gentilhomme, élégant, jeune, charmant, avec sa veste courte et ses souliers au bout curieusement retourné, est entré, allègre, et salue le roi.*

THOMAS—Mes respects, mon Seigneur!...

LE ROI *s'illumine*—Ah! Thomas! Je pensais que tu dormais encore.

THOMAS—J'ai déjà fait un petit temps de galop jusqu'à Richemond,[2] mon Seigneur. Il fait un froid divin.

LE ROI, *qui claque des dents*—Dire que tu aimes le froid, toi! *(A son page:)* Frotte donc plus fort, animal!

> *Thomas, souriant, repousse le page et se met à frotter le roi à sa place.*

[2] **Richemond**   *Richmond, west of London, on the Thames*

LE ROI, *au page*—Ça va! Mets une bûche au feu et file! Tu m'habilleras tout à l'heure.

THOMAS—Mon prince. C'est moi qui vous habillerai.

> *Le page est sorti.*

LE ROI—Il n'y a que toi qui me frottes bien. Qu'est-ce que je ferais sans toi, Thomas! Tu es gentilhomme, pourquoi joues-tu à être mon valet de chambre? Si je demandais ça à mes barons, ils me feraient une guerre civile!...

THOMAS *sourit*—Ils y viendront avec le temps, quand les rois auront appris leur rôle. Je suis votre serviteur, mon prince, voilà tout. Que je vous aide à gouverner ou à vous réchauffer, pour moi, c'est pareil. J'aime vous aider.

LE ROI, *avec un petit geste tendre*—Mon petit Saxon! Au début, quand j'ai voulu te prendre près de moi, tu sais ce qu'ils m'ont dit tous? Que tu en profiterais pour me poignarder un jour.

THOMAS, *qui l'habille souriant*—Vous l'avez cru, mon prince?

LE ROI—N... non... J'ai eu un petit peu peur au début. Tu sais que j'ai facilement peur. Mais tu avais l'air si bien élevé, à côté de ces brutes. Comment t'es-tu arrangé pour parler le français sans trace d'accent anglais?

THOMAS—Mes parents avaient pu conserver leurs biens en acceptant de collaborer, comme on dit, avec le roi votre père... Ils m'ont envoyé tout jeune en France y prendre un bon accent français.

LE ROI—En France? Et pas en Normandie?[3]

THOMAS *sourit encore*—Ce fut leur seule coquetterie patriotique. Ils détestaient l'accent normand.

LE ROI, *incisif*—Seulement l'accent?

THOMAS, *impénétrable et léger*—Mon père était un homme très sévère. Je ne me serais jamais permis, de son vivant, de l'in-

---

[3] **Normandie** *Normandy, French province along the English Channel; William, Duke of Normandy (1027–1087), invaded England, won the battle of Hastings (1066), and as William I completed the Norman Conquest. He replaced the English nobility with Norman French and changed the social and cultural structure of England.*

terroger sur ses sentiments profonds. Et sa mort n'a rien éclairci, naturellement. Il a su faire, en collaborant, une assez grosse fortune; comme c'était, d'autre part, un homme de rigueur, j'imagine qu'il s'est arrangé pour la faire en accord avec sa conscience. Il y a là un petit tour de passe-passe que les hommes de rigueur réussissent assez bien, en période troublée.

Le Roi—Et toi?

Thomas, *feignant de ne pas comprendre la question*—Moi, mon prince?

Le Roi, *avec une trace voulue de léger mépris dans la voix, car malgré son admiration pour Thomas ou à cause d'elle, il voudrait bien marquer un point de temps en temps contre lui*—Le tour de passe-passe, tu l'as réussi facilement?

Thomas, *toujours souriant*—Le problème n'était pas le même. Moi, j'étais un homme léger, n'est-ce pas? En vérité, il ne s'est même pas posé. J'adore la chasse et seuls les Normands et leurs protégés avaient droit de chasser. J'adore le luxe et le luxe était normand. J'adore la vie, et les Saxons n'avaient droit qu'au massacre. J'ajoute que j'adore l'honneur.

Le Roi, *un peu étonné*—Et l'honneur s'est concilié aussi avec la collaboration?

Thomas, *léger*—J'ai eu le droit de tirer l'épée contre le premier gentilhomme normand qui a voulu toucher une de mes sœurs et de le tuer en combat singulier.[4] C'est un détail, mais appréciable.

Le Roi, *un peu sournois*—Tu aurais toujours pu l'égorger et fuir dans les bois comme tant d'autres?

Thomas—Cela manquait de confort et d'efficacité vraie. Ma sœur eût été[5] immédiatement violée par un autre baron normand, comme toutes les filles saxonnes. Aujourd'hui elle est respectée.

Le Roi, *rêveur*—Je ne comprends pas que tu ne nous haïsses pas... Tu vois, moi qui n'ai pas énormément de courage...

---

[4] **le combat singulier** duel
[5] **eût été** would have been

THOMAS—Qu'en savez-vous, mon Seigneur? Avant le jour de sa mort, personne ne sait exactement son courage...

LE ROI, *continuant*—Tout de même, tu sais que je n'aime pas me battre... personnellement, tout au moins. Eh bien, si les Français, par exemple, envahissaient un jour la Normandie et qu'ils y fassent le centième de ce que nous avons fait ici, je crois bien que je ne pourrais jamais voir un Français sans tirer ma dague et... *(Il crie soudain, voyant un geste de Thomas:)* Qu'est-ce que tu cherches?

THOMAS, *souriant, tirant son peigne de son pourpoint*—Mon peigne... *(Il commence à coiffer le roi et lui dit doucement:)* C'est que vous n'avez pas été occupé pendant cent ans, mon Seigneur. C'est long. Et tout s'oublie à vivre.

LE ROI, *assez fin soudain*—Si tu avais été pauvre, tu n'aurais peut-être pas oublié!

THOMAS, *léger et mystérieux*—Peut-être pas. Mais je suis riche. Et léger... Mon Seigneur, vous savez que ma nouvelle vaisselle d'or est arrivée de Florence? Mon roi me fera-t-il l'honneur de venir l'étrenner chez moi?

LE ROI—De la vaisselle d'or! Quel fou tu fais?

THOMAS—Je lance cette mode.

LE ROI—Je suis ton roi et moi je mange dans de l'argent!

THOMAS—Mon prince, vous avez de lourdes charges et je n'ai que celles de mon plaisir... L'ennui c'est qu'il paraît que ça se raye... Enfin, on verra! J'ai reçu aussi deux fourchettes...[6]

LE ROI, *surpris*—Des fourchettes?

THOMAS—Oui. C'est un nouveau petit instrument diabolique, de forme et d'emploi. Cela sert à piquer la viande pour la porter à sa bouche. Comme ça on ne se salit pas les doigts.

LE ROI—Mais alors, on salit la fourchette?

---

[6] *The ancient and medieval worlds knew of the fork, but it was not widely used until the late sixteenth century, when Henry III set the style. During the Middle Ages, when food was eaten with the fingers, the fork, usually made of gold, silver, or crystal, was considered a great luxury.*

THOMAS—Oui. Mais ça se lave.

LE ROI—Les doigts aussi! Je ne vois pas l'intérêt.[7]

THOMAS—Aucun intérêt pratique, en effet. Mais c'est raffiné, c'est subtil. Ça ne fait pas du tout normand.[8]

LE ROI, *soudain ravi*—Il faudra que tu m'en commandes une douzaine. Que je voie[9] la tête de mes gros barons au premier banquet de la cour, quand je leur présenterai ça. Il ne faudra pas leur dire à quoi ça sert! On rira bien!

THOMAS, *riant*—Une douzaine! Comme vous y allez![10] C'est que ça coûte très cher des fourchettes. Mon prince, il est temps d'aller au conseil.

LE ROI, *riant aussi*—Ils ne vont rien y comprendre! Ils sont fichus de croire que c'est pour se battre. On va s'amuser comme des fous!

> *Ils sont sortis, riant derrière le rideau, qui s'écarte devant eux dans le même décor de piliers. C'est la salle du conseil où ils pénètrent, toujours riant.*

LE ROI, *allant au trône*—Messieurs, le conseil est ouvert. Je vous ai réunis aujourd'hui pour trancher sur ce refus du clergé de s'acquitter de la taxe d'absence.[11] Il va tout de même falloir s'entendre, pour savoir qui gouverne ce royaume, de[12] l'Eglise... (*l'Archevêque fait un geste*)... tout à l'heure, Archevêque!... ou de[12] moi! Mais, avant de nous disputer, commençons par les bonnes nouvelles... J'ai décidé de rétablir le poste de chancelier d'Angleterre, gardien du sceau à trois lions, et de le confier à mon féal serviteur et sujet Thomas Becket.

THOMAS, *surpris, s'est levé, tout pâle*—Mon prince!...

LE ROI, *goguenard*—Qu'est-ce qu'il y a, Becket? Tu veux déjà aller

---

[7] **Je ne vois pas l'intérêt.** I can't see the advantage.
[8] **Ca ne fait pas du tout normand.** It's not at all Norman.
[9] **Que je voie** I can just see
[10] **Comme vous y allez!** Not so fast!
[11] **la taxe d'absence** *a tax on the property of absentee owners who deal with their tenants through intermediaries*
[12] **de** *for emphasis*

pisser? Il est vrai que nous avons tellement bu cette nuit tous les deux! *(Il le regarde, ravi.)* Je suis bien content, pour une fois j'ai réussi à te surprendre, petit Saxon.

Thomas, *un genou en terre, soudain grave*—Mon prince, c'est une marque de votre confiance dont j'ai peur de ne pas être digne. Je suis très jeune, peut-être léger...

Le Roi—Moi aussi, je suis jeune, et tu en sais plus long que nous tous! *(Aux autres:)* Il a étudié, vous savez! C'est incroyable tout ce qu'il connaît. Il vous damerait le pion à tous. Même à l'Archevêque! Quant à sa légèreté, ne soyez pas dupes. Il boit sec, il aime bien s'amuser, mais c'est un garçon qui pense tout le temps. Quelquefois, ça me gêne de le sentir penser à côté de moi... Relève-toi, Thomas. Je ne faisais rien sans ton conseil, c'était secret, maintenant ce sera public, voilà tout. *(Il éclate de rire, tire quelque chose de sa poche, le donne à Becket.)* Tiens, voilà le sceau. Ne le perds pas. Sans sceau, il n'y a plus d'Angleterre et nous serions tous obligés de retourner en Normandie! Maintenant, travaillons.

L'archevêque *se lève, tout sourire la première surprise passée*—Je voudrais qu'il me soit permis, avec l'approbation de mon prince, de saluer ici mon jeune et savant archidiacre. Car j'ai été le premier, j'ai la faiblesse d'être fier de le rappeler, à l'avoir remarqué et élevé. La présence à ce conseil, avec le titre prépondérant de chancelier d'Angleterre, d'un des nôtres—de notre fils spirituel en quelque sorte—est un gage pour l'Eglise de ce pays qu'une nouvelle ère d'entente et de compréhension réciproque s'ouvre devant nous et que nous devons, dans un esprit de collaboration confiante...

Le Roi, *le coupant*—Et cætera et cætera... Merci, Archevêque! J'étais sûr que cette nomination vous ferait plaisir. Mais ne comptez pas trop sur Becket pour faire vos affaires. Il est mon homme. *(Il se retourne vers Becket, ravi.)* Au fait, mon petit Saxon, je l'avais oublié que tu étais diacre...

Thomas, *souriant*—Moi aussi, mon prince.

Le Roi—Dis-moi—je ne parle pas des filles, c'est péché véniel— mais dans les quelques affaires où j'ai pu te voir, je trouve que

tu as un rude coup d'épée pour un curé. Comment accordes-tu
cela avec le commandement de l'Eglise qui défend aux prêtres
de verser le sang?

L'ÉVÊQUE D'OXFORD, *prudent*—Votre jeune ami n'est que diacre et
n'a point encore prononcé tous ses vœux, Altesse. L'Eglise, dans
sa sagesse, sait qu'il faut que jeunesse se passe et que—sous
le prétexte sacré d'une guerre—d'une guerre sainte, j'entends,
il est permis aux jeunes gens...

LE ROI, *le coupant*—Toutes les guerres sont saintes, Evêque! Je
vous défie de me trouver un belligérant sérieux qui n'ait pas le
Ciel avec lui—théoriquement. Revenons plutôt à nos moutons.[13]

L'ARCHEVÊQUE—*Pastor curare gregem debet,*[14] mon fils.

LE ROI, *impatienté*—C'est ce que je voulais dire. Seulement, je
n'aime pas beaucoup les moutons qui ne veulent pas se laisser
tondre, mon Père! Nos coutumes veulent qu'une taxe en argent
soit due par tout possesseur d'une terre suffisante pour l'entretien d'un homme d'armes, qui, dans les délais prescrits par les
appels, ne se présente pas à la revue tout armé et l'écu au bras.

L'ÉVÊQUE D'OXFORD—*Distinguo,*[15] Altesse!

LE ROI—Distinguez tout ce que vous voulez. Pour moi, ma décision
est prise: je tends mon escarcelle et j'attends. *(Il se renverse sur
son fauteuil et se cure les dents. A Becket:)* Je crève de faim,
Thomas. Pas toi? Dis qu'on nous fasse apporter quelque chose.

Thomas fait un signe à un garde qui sort.

L'ARCHEVÊQUE *se lève après un temps*—Un laïc qui se dérobe à son
devoir d'état, qui est d'assister son prince par les armes, doit la
taxe. Nul ne le contestera.

LE ROI, *goguenard*—Surtout pas le clergé!

L'ARCHEVÊQUE, *continuant*—Le devoir d'état d'un clerc est d'assister

---

[13] **Revenous à nos moutons** *a phrase taken from the medieval play,* La
Farce de Maître Pathelin. *In colloquial usage,* Let's get back to the subject.

[14] **Pastor curare gregem debet** *Latin phrase meaning* The pastor must
care for the flock.

[15] **Distinguo** *scholastic phrase, indicating that one's position lies somewhere between concession (concedo) and negation (nego)*

son prince dans ses prières, dans ses œuvres d'éducation et de charité; il ne pourrait donc être assujetti à une taxe semblable que s'il se dérobait à ces devoirs-là.

L'ÉVÊQUE D'OXFORD—Avons-nous refusé de prier?

LE ROI, *s'est levé furieux*—Messieurs! Vous pensez sérieusement que je m'en vais me laisser filouter de plus des deux tiers de ma taxe, avec des arguties pareilles? Au temps de la conquête, quand il s'agissait de s'enrichir, ils l'ont retroussée leur soutane, je vous le jure, nos abbés normands: et gaillardement! L'épée au poing, les fesses sur la selle, dès potron-minet.[16] «Allons-y, mon prince! Boutons [17] tout ça dehors! Dieu le veut! Dieu le veut!» Il fallait les retenir, oui! Et quand on avait besoin d'une petite messe le cas échéant, ils n'avaient jamais le temps; ils ne savaient plus où ils avaient laissé leurs habits sacerdotaux, les églises n'étaient pas en état—tout leur était bon pour remettre—de peur de se laisser rafler un morceau de gâteau [18] pendant ce temps-là!

L'ARCHEVÊQUE—Ces temps héroïques ne sont plus. La paix est faite.

LE ROI—Alors, payez. Moi, je ne sors pas de là. *(Il se tourne vers Becket.)* Un peu à toi,[19] Chancelier. On dirait que ça te rend muet, les honneurs.

BECKET—M'est-il permis de faire remarquer respectueusement quelque chose à mon Seigneur l'Archevêque?

LE ROI *grommelle*—Respectueusement... mais fermement. Tu es chancelier, maintenant.

BECKET, *calme et négligent*—L'Angleterre est un navire.

LE ROI, *ravi*—Tiens! C'est joli, ça. On s'en resservira.

BECKET—Dans les périls de la navigation, l'instinct de conservation des hommes leur a fait, depuis toujours, reconnaître qu'il fallait un seul maître à bord. Les équipages révoltés qui ont noyé leur capitaine, finissent toujours, après quelque temps d'anarchie,

---

[16] **dès potron-minet** = dès la pointe du jour
[17] **Boutons** (*italianism*) **bouter** to throw out, kick out
[18] **se laisser rafler un morceau de gâteau** missing out on some booty
[19] **Un peu à toi** Let's hear from you

par se confier, corps et âmes, à l'un des leurs, qui se met à régner sur eux, plus durement parfois que leur capitaine noyé.

L'ARCHEVÊQUE—Seigneur Chancelier—mon jeune ami—il y a effectivement une formule: le capitaine est seul maître à bord après Dieu. *(Il tonne soudain avec une voix qu'on ne soupçonnait pas dans ce corps débile:)* Après Dieu!

> *Et il se signe. Tous les évêques l'imitent. Un vent d'excommunication* [20] *passe sur le conseil. Le roi, impressionné, se signe aussi et grommelle un peu piteux.*

LE ROI—Personne ne songe à mettre l'autorité de Dieu en cause, Archevêque.

BECKET, *qui est seul resté calme*—Dieu guide le navire en inspirant les décisions du capitaine. Mais je n'ai jamais entendu dire qu'il donnait directement ses consignes à l'homme de barre.

> *Gilbert Folliot, évêque de Londres, se lève. C'est un homme fielleux.*

GILBERT FOLLIOT—Notre jeune chancelier n'est que diacre, mais il est d'Eglise. Les quelques années qu'il vient de passer dans le monde et le bruit ne peuvent lui avoir fait déjà oublier que c'est à travers son Eglise militante et plus particulièrement par l'intermédiaire de Notre Saint-Père le Pape et des Evêques —ses représentants qualifiés—que Dieu dicte ses décisions aux hommes.

BECKET—Il y a un aumônier sur chaque navire, mais on ne lui demande pas de fixer la ration de vivres de l'équipage ni de faire le point.[21] Mon Révérend Seigneur, l'Evêque de Londres, qui est le petit-fils d'un marinier, m'a-t-on dit, ne peut, lui non plus, avoir oublié cela.

GILBERT FOLLIOT *se dresse, aigre et glapit*—Je ne permettrai pas que des allusions personnelles viennent compromettre la dignité

---

[20] **Un vent d'excommunication** an excommunicatory mood
[21] **faire le point** to take the ship's bearings

d'un débat de cette importance! L'intégrité et l'honneur de l'Eglise d'Angleterre sont en jeu!

LE ROI, *bonhomme*—Pas de grands mots, Evêque! Vous savez comme moi qu'il s'agit tout bonnement de son argent. J'ai besoin d'argent pour ma guerre. L'Eglise veut-elle m'en donner ou non?

L'ARCHEVÊQUE, *prudent*—L'Eglise d'Angleterre a toujours admis que son devoir était d'assister son prince, au maximum de ses forces, dans ses besoins.

LE ROI—Voilà une bonne parole! [22] Mais je n'aime pas le passé, Archevêque, c'est un temps qui a quelque chose de nostalgique. J'aime le présent. Et le futur. Paierez-vous?

L'ARCHEVÊQUE—Altesse, je suis ici pour défendre les privilèges que votre illustre aïeul Guillaume a concédés à l'Eglise d'Angleterre. Auriez-vous le cœur de toucher à l'œuvre de votre aïeul?

LE ROI—Qu'il repose en paix! Son œuvre est inviolable. Mais là où il est il n'a plus besoin d'argent. Et moi, qui suis encore sur terre, malheureusement, j'en ai besoin!

GILBERT FOLLIOT—Altesse, c'est une question de principe!

LE ROI—Je lève des troupes, Evêque! Je me suis fait envoyer quinze cents lansquenets [23] allemands et trois mille fantassins [23] suisses pour combattre le roi de France. Et personne n'a jamais réglé des Suisses avec des principes!

BECKET *se lève soudain, net*—Je pense, Altesse, qu'il est inutile de poursuivre un dialogue où aucun des deux interlocuteurs n'écoute l'autre. La loi et la coutume nous donnent des moyens de coercition. Nous en userons.

GILBERT FOLLIOT, *hors de lui, dressé*—Tu oserais, toi, qu'elle a tiré du néant de ta race, plonger le fer dans le sein de ta mère l'Eglise?

BECKET—Mon seigneur et roi m'a donné son sceau aux trois lions à garder. Ma mère est maintenant l'Angleterre.

---

[22] **Voilà une bonne parole!**   Very well said!
[23] **lansquenets, fantassins**   footsoldiers

GILBERT FOLLIOT, *écumant, un peu ridicule*—Un diacre! Un pauvre diacre nourri dans notre sein! Traître! Petit serpent! Débauché! Sycophante! Saxon!

LE ROI—Mon petit ami, je vous invite à respecter mon chancelier ou sinon j'appelle mes gardes!

> *Il a enflé un peu la voix vers la fin, les gardes entrent.*

LE ROI, *surpris*—Les voilà, d'ailleurs. Ah! non, c'est mon en-cas. Excusez-moi, messieurs, mais vers midi, j'ai besoin de prendre [24] ou je me sens faiblir. Et un roi n'a pas le droit de faiblir, vous ne l'ignorez pas. Servez-moi ça dans mon oratoire, comme ça je pourrai prier tout de suite après. Viens un moment avec moi, mon fils...

> *Il est sorti, entrainant Becket. Les trois prélats se sont levés, blessés. Ils s'éloignent un peu, murmurant entre eux avec des regards en coin du côté où est sorti le roi.*

GILBERT FOLLIOT—Il faut en appeler à Rome! Se raidir.

L'ÉVÊQUE D'YORK—Seigneur Archevêque, vous êtes primat d'Angleterre. Votre personne est inviolable et vos décisions pour tout ce qui touche à l'Eglise font loi dans ce pays. Contre une telle rébellion, vous avez une arme: l'excommunication.

L'ÉVÊQUE D'OXFORD—Nous ne devons en user qu'avec beaucoup de prudence, Révérend Evêque. L'Eglise au cours des siècles a toujours triomphé, mais elle a triomphé prudemment. Patientons. Les fureurs du roi sont terribles; mais elles ne durent point. Ce sont des feux de paille.

GILBERT FOLLIOT—Le petit ambitieux, qu'il a près de lui maintenant, se chargera de les attiser. Et je pense, comme le Révérend Evêque d'York, que seule l'excommunication de ce petit débauché peut le réduire à l'impuissance.

---

[24] prendre = manger

BECKET *entre sur ces mots*—Mes Seigneurs, le roi a décidé de suspendre son conseil. Il pense qu'une nuit de méditation inspirera à Vos Seigneuries une solution sage et équitable—qu'il vous autorise à venir lui soumettre demain.

GILBERT FOLLIOT *ricane, amer*—C'est tout simplement l'heure de la chasse...

BECKET *sourit*—Oui, d'ailleurs, Seigneur Evêque, à ne vous rien cacher, croyez que je suis personnellement navré de ce différend et de la forme brutale qu'il a prise. Je ne reviens pourtant pas sur ce que j'ai dit en tant que chancelier d'Angleterre. Nous sommes tous tenus envers le roi, laïcs et clercs, par le même serment féodal que nous lui avons prêté comme à notre seigneur et suzerain: le serment de lui conserver sa vie, ses membres, sa dignité et son honneur. Je pense qu'aucun d'entre vous n'en a oublié la formule?

L'ARCHEVÊQUE, *doucement*—Nous ne l'avons pas oubliée, mon fils. Pas plus que l'autre serment que nous avons prêté avant à Dieu. Vous êtes jeune, peut-être encore incertain. Vous venez pourtant de prendre, en peu de mots, une résolution dont le sens ne m'a pas échappé. Permettez à un vieil homme, qui est très près de la mort, et qui, dans ce débat un peu sordide, défendait peut-être davantage que ce que vous avez cru lui voir défendre—de vous souhaiter, comme un père, de ne pas connaître un jour l'amertume de penser que vous vous êtes trompé. *(Il lui tend son anneau que Becket baise.)* Je vous bénis, mon fils.

BECKET *s'est agenouillé, il se relève léger*—Un fils bien indigne, mon père... Mais, quand est-on digne? Et digne de quoi?

Il pirouette et sort avec une insolence et une grâce de jeune garçon.

GILBERT FOLLIOT *a bondi*—Ces insultes à Votre Seigneurie sont inadmissibles! L'insolence de ce petit roué doit être brisée.

L'ARCHEVÊQUE, *pensif*—Je l'ai eu longtemps près de moi. C'est une âme étrange, insaisissable. Ne croyez pas qu'il soit le simple débauché que les apparences feraient croire. J'ai pu l'observer souvent, dans le plaisir et dans le bruit. Il y reste comme absent. Il se cherche.

GILBERT FOLLIOT—Brisez-le, mon Seigneur, avant qu'il ne se trouve! Ou le clergé de ce pays le paiera cher.

L'ARCHEVÊQUE—Nous devons être très circonspects. Notre rôle est de sonder les cœurs. Et je ne suis pas sûr que celui-ci soit toujours notre ennemi.

L'Archevêque et les trois évêques sont sortis. On entend le roi crier dehors:

LE ROI—Alors, mon fils, ils sont partis? Tu viens à la chasse?

Des arbres descendent des cintres, le rideau de velours noir du fond s'ouvre sur un ciel clair transformant les piliers en arbres dénudés d'une forêt d'hiver. Des sonneries de trompe. La lumière a baissé, quand elle revient le roi et Thomas sont à cheval, un faucon chacun sur leur gant de cuir. On entend une pluie torrentielle.

LE ROI—C'est le déluge! *(Il demande soudain:)* Cela t'amuse, toi, de chasser au faucon?

BECKET—Je n'aime pas beaucoup faire faire mes commissions par les autres... J'aime mieux sentir un sanglier au bout de mon épieu. Quand il se retourne et qu'il charge, il y a une minute de tête à tête délicieuse où l'on se sent enfin responsable de soi.

LE ROI—C'est curieux ce goût du danger! Qu'est-ce que vous avez tous, à vouloir risquer votre peau coûte que coûte, sous les prétextes les plus futiles? Au fond, tu es un raffiné, tu fais des vers abscons, tu manges avec une fourchette et tu es plus près de mes barons que tu ne le crois.

BECKET—Il faut jouer sa vie pour se sentir vivre...

LE ROI—Ou mourir. Tu me fais rire! *(Il parle à son faucon:)* Du calme, mon joli. On l'ôtera tout à l'heure ton capuchon. Sous les arbres, tu ne ferais rien de bon. En tout cas, il y en a qui adorent ça, la chasse au faucon, ce sont les faucons! J'ai l'impression que nous nous tannons le derrière depuis trois heures à cheval, pour leur procurer ce plaisir royal.

BECKET *sourit*—Mon Seigneur, ce sont des faucons normands. Ils sont de la bonne race. Ils y ont droit.

LE ROI *demande soudain, regardant Becket*—Tu m'aimes, Becket?

BECKET—Je suis votre serviteur, mon prince.

LE ROI—Tu m'as aimé quand je t'ai fait chancelier? Je me demande parfois si tu es capable d'amour. Aimes-tu Gwendoline?

BECKET—Elle est ma maîtresse, mon prince.

LE ROI—Pourquoi mets-tu des étiquettes sur tout, pour justifier tes sentiments?

BECKET—Parce que, sans étiquettes, le monde n'aurait plus de forme, mon prince...

LE ROI—Et c'est important que le monde ait une forme?

BECKET—Capital, mon prince, ou sinon on ne sait plus ce qu'on y fait. *(Des trompes au loin.)* La pluie redouble, mon Seigneur. Allons nous réfugier dans cette cabane, là-bas.

> *Il part au galop; après un imperceptible temps de désarroi, le roi le suit au galop, le poing haut tenant son faucon, et criant:*

LE ROI—Becket! Tu n'as pas répondu à ma question!

> *Il a disparu dans la forêt. Des trompes encore. Les barons passent à cheval au galop sur leurs traces et se perdent dans la forêt. Un bruit d'orage, des éclairs.*
> *Une cabane est apparue d'un côté de la scène, on entend Becket crier à la cantonade.*

BECKET—Holà! l'homme! On peut mettre les chevaux au sec dans ta grange? Tu sais bouchonner? Regarde donc aussi ce qu'a le cheval de messire au sabot avant droit. Nous allons laisser passer l'orage chez toi.

*Un instant puis le roi entre dans la cabane suivi
d'un Saxon hirsute qui multiplie les saluts, craintif,
son bonnet à la main.*

LE ROI, *entrant et se secouant*—Quelle douche! Je suis fichu de
prendre froid. *(Il éternue.)* Tout ça pour amuser des faucons!
(Il crie à l'homme, changeant de voix:) Qu'est-ce que tu attends
pour nous faire du feu, toi? On crève de froid chez toi, chien!
*(L'homme ne bouge pas, terrorisé. Le roi, après avoir éternué
encore, à Becket qui les a suivis:)* Qu'est-ce qu'il attend?

BECKET—Le bois est rare, mon Seigneur. Il n'en a sans doute plus.

LE ROI—En pleine forêt?

BECKET—Ils n'ont droit qu'à deux mesures de bois mort. Une
branche de plus, on les pend.

LE ROI, *étonné*—Tiens? Et d'un autre côté, on trouve qu'il y a
trop de bois mort dans les forêts. Enfin, ce problème regarde
mes intendants. *(Il crie à l'homme:)* File ramasser tout ce que
tu pourras porter et fais-nous un feu d'enfer. Pour une fois,
tu ne seras pas pendu, chien!

*Le paysan, épouvanté, n'ose pas obéir. Thomas lui
dit doucement:*

BECKET—Va, mon fils. C'est ton prince qui l'ordonne. Tu as le
droit.

L'homme sort, tremblant, multipliant les saluts.

LE ROI—Pourquoi appelles-tu ce vieillard ton fils?

BECKET—Mon prince, vous l'appelez bien: chien.

LE ROI—C'est une expression! On a toujours appelé les Saxons:
chiens. Je ne sais pas pourquoi, d'ailleurs. On aurait aussi bien
pu les appeler: Saxons. Mais ton fils, cette vieille puanteur...
(Il renifle autour de lui.) Qu'est-ce qu'ils peuvent bien bouffer
pour que cela sente si mauvais, de la crotte?

BECKET—Des raves.

LE ROI—Qu'est-ce que c'est que ça, des raves?

BECKET—Des racines.

LE ROI, *amusé*—Ils mangent des racines?

BECKET—Ceux des forêts ne peuvent pas cultiver autre chose.

LE ROI—Pourquoi ne vont-ils pasen plaine?

BECKET—Ils seraient pendus s'ils quittaient leur district.

LE ROI—Ah bon! Remarque que cela doit simplifier la vie de savoir qu'on est pendu à la moindre initiative. On doit se poser beaucoup de questions. Ce sont des gens qui ne savent pas leur bonheur... Tu ne m'as pas toujours dit pourquoi tu appelais ce gaillard ton fils?

BECKET, *léger*—Mon prince, il est si dénudé et si pauvre et je suis si fort par comparaison, qu'il est véritablement mon fils.

LE ROI—On irait loin avec ta théorie.

BECKET—D'ailleurs, mon prince, vous êtes sensiblement plus jeune que moi et il vous arrive aussi de m'appeler votre fils.

LE ROI—Ça n'a aucun rapport. C'est parce que je t'aime.

BECKET—Vous êtes notre roi; nous sommes tous vos fils entre vos mains.

LE ROI—Même les Saxons?

BECKET, *léger, se dégantant*—L'Angleterre sera faite, mon prince, le jour où les Saxons seront aussi vos fils.

LE ROI—Tu es ennuyeux aujourd'hui. J'ai l'impression d'écouter l'Archevêque. Et je crève de soif. Fouille un peu pour voir s'il n'y a rien à boire chez ton fils... (*Becket commence à chercher, puis bientôt quitte la pièce. Le roi se lève et cherche aussi, regardant curieusement la cahute, touchant des choses avec des mines dégoûtées. Soudain, il avise une sorte de trappe au bas d'un mur; il ouvre, plonge la main et en tire une fille épouvantée. Il crie:*) Hé, Thomas! Thomas!

BECKET *rentre*—Vous avez trouvé quelque chose à boire, mon prince?

Le Roi, *tenant la fille à bout de bras*—Non, à manger. Qu'est-ce que tu dis de ça,[25] une fois nettoyé?

Becket, *froid*—Elle est jolie.

Le Roi—Elle pue un peu, mais on la laverait. Regarde ça, c'est tout menu. Qu'est-ce que ça peut avoir à ton idée, quinze ans, seize ans?

Becket—Ça parle, mon Seigneur. *(A la fille, doucement:)* Quel âge as-tu?

> *La petite les regarde, épouvantée, sans répondre.*

Le Roi—Tu vois bien que ça ne parle pas. *(A l'homme qui est rentré avec du bois et qui s'arrête sur le seuil, épouvanté:)* Quel âge a ta fille, chien? *(L'homme tremble sans répondre, traqué.)* Il est muet aussi, ton fils. Tu l'as eu avec une sourde? C'est curieux d'ailleurs, le nombre de muets que je peux rencontrer dès que je sors de mon palais. Je règne sur un peuple de muets. Tu peux me dire pourquoi?

Becket—Ils ont peur, mon prince.

Le Roi—J'entends. Et c'est une bonne chose. Il faut que les peuples aient peur. A la minute où ils cessent d'avoir peur, ils n'ont qu'une idée, c'est de faire peur à leur tour. Et ils adorent ça, faire peur! Autant que nous. Quand ils en ont la possibilité, je te jure qu'ils se rattrapent, tes fils. Tu n'as jamais vu de jacquerie?[26] Moi, j'en ai vu une, petit, du temps de mon père. Ce n'est pas beau à voir. *(Il regarde l'homme, exaspéré.)* Regarde-moi ça... C'est muet, c'est obtus, ça grouille, ça pue, il y en a partout... *(Il rattrape la petite qui a tenté de s'éloigner.)* Reste là, toi! Ça sert à quoi, je te le demande?

Becket, *souriant*—Ça gratte le sol, ça fait du pain.

Le Roi—Bah! Les Anglais en mangent si peu... A la cour de France, je ne dis pas, ils s'en bourrent.

---

[25] **ça** *pejorative when used for persons*
[26] **la jacquerie** *peasant revolt. A famous one occurred in France in 1358 after the battle of Poitiers.*

BECKET, *souriant*—Il faut bien nourrir les troupes. Car un roi sans troupes...

LE ROI, *frappé*—C'est juste. Tout se tient. Il doit y avoir un ordre raisonnable dans toutes ces absurdités. Décidément, tu es un petit Saxon philosophe... Je ne sais pas comment tu t'y prends, mais tu finiras par me rendre intelligent! Ce qui est curieux, c'est que ce soit si vilain et que cela fasse de si jolies filles! Comment expliques-tu ça, toi qui expliques tout?

BECKET—A vingt ans, avant d'avoir perdu ses dents et pris cet âge indéfinissable du peuple, celui-là a peut-être été beau. Il a peut-être eu une nuit d'amour, une minute où il a été roi lui aussi, oubliant sa peur. Après, sa vie de pauvre a repris, pareille. Sa femme et lui ont même dû oublier. Mais la semence était jetée.

LE ROI, *rêveur*—Tu as une façon de raconter... *(Il regarde la fille.)* Tu crois qu'elle deviendra laide comme les autres?

BECKET—Sûrement.

LE ROI—Si on la faisait putain et qu'on la garde au palais, elle resterait belle?

BECKET—Peut-être.

LE ROI—Alors, c'est un service à lui rendre?

BECKET, *froid*—Sans doute.

> *Le père s'est dressé. La fille s'est recroquevillée, épouvantée. Le frère entre, sombre, muet, menaçant.*

LE ROI—C'est admirable! Ils comprennent tout, tu sais. Qui c'est, celui-là?

BECKET, *qui a jugé la situation d'un coup d'œil*—Le frère.

LE ROI—Comment le sais-tu?

BECKET—Mon instinct, mon prince.

> *Il a mis la main sur sa dague.*

LE ROI, *hurlant soudain*—Qu'est-ce qu'ils ont à me dévisager? Ils commencent à m'embêter à la fin! J'ai demandé à boire, chien!

L'homme, épouvanté, sursaute et déguerpit.

BECKET—Leur eau sera fade. J'ai une gourde de genièvre à ma selle. Viens m'aider, toi, mon cheval est nerveux.

> *Il a pris le frère par le bras, brutalement. Il sort dans la forêt avec lui sifflant négligemment sa petite marche et, tout de suite, il se jette sur lui. Une courte lutte silencieuse. Il lui arrache son couteau. Le garçon s'enfuit dans la forêt. Thomas le regarde partir une seconde, se tenant la main. Puis il contourne la maison. Le roi s'est installé sur son escabeau, les jambes sur un autre, sifflotant. Il relève les jupes de la fille du bout de son stick, l'examinant tranquillement. Il murmure:*

LE ROI—Tous mes fils! *(Il chasse une pensée.)* Il me fatigue, ce Becket, à me donner l'habitude de penser. Ça doit être mauvais pour la santé. *(Il s'est levé, à Becket qui rentre:)* Alors, cette eau? C'est long!

BECKET, *qui précédait l'homme*—La voilà, mon Seigneur. Et voici surtout du genièvre. Car elle est trouble.

LE ROI—Bois avec moi. *(Il avise la main de Becket enveloppée d'un linge ensanglanté.)* Qu'est-ce que tu as? Tu es blessé?

BECKET *cache sa main*—Mon cheval est décidément un peu nerveux, mon prince. Il a horreur qu'on touche la selle. Un coup de dent.

LE ROI *éclate d'un gros rire ravi*—Ah! ah! ah! C'est trop drôle! Elle est vraiment trop drôle!... Monsieur monte mieux que personne; Monsieur ne trouve jamais d'étalon assez fougueux pour lui; Monsieur nous rend tous ridicules au manège avec ses acrobaties et quand il veut aller prendre quelque chose dans ses fontes, il se fait mordre, comme un page!... *(Il est presque content, rageur. Soudain, son regard se fait plus tendre.)* Tu est tout pâle, petit Saxon... Pourquoi est-ce que je t'aime? C'est drôle, ça ne me fait pas plaisir que tu aies mal, toi. Montre ta main. C'est mauvais une morsure de cheval. Je vais te mettre du genièvre.

BECKET *retire précipitamment sa main*—J'en ai mis, mon prince. Ce n'est rien.

LE ROI—Pourquoi es-tu si pâle, alors? Montre.

BECKET, *soudain froid*—La blessure est laide et vous savez que vous n'aimez pas voir le sang.

LE ROI *recule un peu puis s'exclame ravi*—Tout ça pour aller me chercher à boire. Blessé au service du roi. On dira aux autres que tu m'as défendu contre une bête et je te ferai un beau cadeau ce soir. Qu'est-ce qui te ferait plaisir?

BECKET, *doucement*—Cette fille. *(Il ajoute après un petit temps.)* Elle me plaît.

LE ROI, *rembruni, après un silence*—Là, tu m'embêtes! Elle me plaît aussi. Et, sur ce chapitre-là, je n'ai plus d'amis. *(Un temps encore. Sa figure prend une expression rusée.)* Soit! Mais donnant donnant, tu te le rappelleras?

BECKET—Oui, mon prince.

LE ROI—Donnant donnant, j'ai ta parole de gentilhomme?

BECKET—Oui, mon prince.

LE ROI, *vidant son verre, soudain allègre*—Adjugé! Elle est à toi. On l'emporte ou on la fait prendre?

BECKET—J'enverrai deux soldats la prendre. Ils nous ont rejoints.

> *En effet, une troupe d'hommes d'armes à cheval est arrivée devant la cabane durant la fin de la scène.*

LE ROI, *à l'homme*—Lave ta fille, chien, et tue-lui ses poux. Elle ira au palais. C'est pour Monsieur qui est Saxon comme toi. Tu es content, j'espère? *(A Thomas, sortant:)* Donne-lui une pièce d'or. Je me sens bon, moi, ce matin.

> *Il est sorti. L'homme, terrorisé, regarde Becket.*

BECKET—Personne ne viendra prendre ta fille. Cache-la mieux à l'avenir. Et dis à ton fils de rejoindre les autres, dans la forêt, c'est plus sûr pour lui maintenant. Tiens!

> *Il lui jette une bourse et sort. Quand il est sorti, l'homme se jette sur la bourse, la ramasse, puis crache, haineux:*

L'HOMME—Crève! Crève le premier, porc!

LA FILLE, *soudain*—Il était beau celui-là! C'est vrai qu'il va m'emmener au palais?

L'HOMME—Garce! Fille à Normands!

> *Il se jette sur elle et la roue de coups.*
> *Le roi, Becket et les barons sont partis à cheval au galop dans les sonneries de trompe. La baraque, les arbres du fond se retirent. Nous sommes dans le palais de Becket.*
> *Des valets ont poussé en scène une sorte de lit bas, avec des coussins, des sièges. Au fond, entre deux piliers, un rideau sur une tringle à travers lequel on voit, en ombres, la fin d'un banquet. On entend des chants, des éclats de rire... En scène, accroupie sur un lit bas, Gwendoline qui joue doucement d'un instrument ancien à cordes.*
> *Le rideau s'entrouvre. Becket paraît. Il va vers Gwendoline tandis que le banquet et les éclats de rire continuent là-bas, coupés de chansons grasses, inintelligibles.*

GWENDOLINE, *s'arrêtant un instant de jouer*—Ils mangent encore?

BECKET—Oui. Ils ont une faculté d'absorption inimaginable...

GWENDOLINE, *doucement, recommençant à jouer*—Comment mon Seigneur peut-il vivre toutes ses journées et une grande partie de ses nuits avec des êtres pareils?

BECKET, *qui s'est accroupi à ses pieds et la caresse*—Avec de savants clercs, discutant du sexe des anges, ton Seigneur s'ennuierait encore plus, mon petit chat. Ils sont aussi loin de la vraie intelligence des choses que les brutes.

GWENDOLINE, *doucement, rejouant*—Je ne comprends pas toujours tout ce que mon Seigneur me fait la grâce de me dire... Ce que je sais, c'est qu'il est toujours très tard quand il vient me retrouver...

BECKET, *qui la caresse*—Je n'aime que te retrouver. La beauté est une des rares choses qui ne font pas douter de Dieu.

GWENDOLINE—Je suis la captive de guerre de mon Seigneur et je lui appartiens tout entière. Dieu l'a voulu ainsi, puisqu'il a donné la victoire aux Normands, sur mon peuple. Si les Gallois avaient vaincu, j'aurais épousé, devant Lui, un homme de ma race au château de mon père. Dieu ne l'a pas voulu.

BECKET, *doucement*—C'est une morale comme une autre, mon petit chat. Mais, comme j'appartiens moi aussi à une race vaincue, j'ai l'impression que Dieu s'embrouille un peu. Joue encore...

GWENDOLINE *recommence à jouer, elle dit soudain:*—Je mens. Tu es mon Seigneur sans Dieu. Et si les Gallois [27] avaient vaincu, tu aurais aussi bien pu me voler au château de mon père. Je t'aurais suivi. (*Elle a dit ça gravement. Becket se lève soudain et s'éloigne. Elle lève sur lui des yeux angoissés, s'arrêtant de jouer.*) C'est mal ce que j'ai dit? Qu'a mon Seigneur?

BECKET, *fermé*—Rien. Je n'aime pas qu'on m'aime, je te l'ai dit.

Le rideau s'entrouvre. Le roi paraît.

LE ROI, *qui est un peu ivre*—Alors, mon fils, tu nous abandonnes? Ça y est, tu sais: Ils ont compris! Ils se battent avec tes fourchettes. Ils ont fini par découvrir que c'était pour se crever les yeux. Ça leur paraît très ingénieux de forme... Va, mon fils, ils vont te les casser. (*Becket passe derrière le rideau pour calmer les autres. On l'entend crier:*) «Messires, messires. Mais non, ce ne sont pas de petites dagues... Je vous assure... Seulement pour piquer la viande... Tenez, je vais vous montrer encore...»

[27] **les Gallois** Welsh

*D'énormes éclats de rire derrière le rideau. Le roi
est descendu vers Gwendoline, la dévisageant.*

Le Roi—C'est toi qui jouais comme ça, pendant qu'on mangeait?

Gwendoline, *abîmée dans un salut*—Oui, mon Seigneur.

Le Roi—Décidément, tu as tous les talents... Relève-toi.

*Il la relève, la caressant un peu en la relevant. Elle
s'écarte, gênée.*

Le Roi, *avec un sourire méchant*—Ça te fait peur, mon petit cœur?
Bientôt tout sera en ordre. *(Il retourne au rideau.)* Hé! Becket!
Assez bâfré, mes petits pères! Venez donc écouter un peu de
musique. La tripe satisfaite, il est bon de s'élever l'esprit. Joue,
toi... *(Becket et les quatre barons, congestionnés, sont rentrés;
Gwendoline a repris son instrument. Le roi se vautre sur le lit
bas, derrière elle. Les barons, avec des soupirs, dégrafent leur
ceinturon, prennent place sur des sièges où ils ne vont pas
tarder à s'assoupir. Becket reste debout.)* Dis-lui qu'elle nous
chante quelque chose de triste... J'aime bien la musique un peu
triste après dîner, cela aide à digérer... *(Il a un hoquet.)* On
mange trop bien chez toi, Thomas. Où l'as-tu volé, ton cuisinier?

Becket—Je l'ai acheté, mon prince. C'est un Français.

Le Roi—Ah? Tu n'as pas peur qu'il t'empoisonne? Qu'est-ce que
ça vaut un cuisinier français?

Becket—Un bon, comme celui-là, presque le prix d'un cheval, mon
Seigneur.

Le Roi, *sincèrement indigné*—Quelle honte! Il n'y a plus de mœurs.
Il n'y a pas d'homme qui vaille un cheval. Si je te disais:
«Donnant donnant»—tu te rappelles?—et que je te le demande,
tu me le donnerais?

Becket—Certainement, mon prince.

Le Roi *a un sourire, caressant doucement Gwendoline*—Je ne te
le demande pas. Je ne veux pas trop bien manger tous les jours,
ça abaisse l'homme. *(Il a encore un hoquet.)* Plus triste, plus

triste, ma petite génisse... Ça ne passe pas,[28] ce chevreuil. Fais-lui donc jouer la complainte qu'on a faite sur ta mère, Becket. C'est celle que je préfère.

BECKET, *soudain fermé*—Je n'aime pas qu'on chante cette complainte-là, mon prince.

LE ROI—Pourquoi? Tu as honte d'être le fils d'une Sarrasine?[29] C'est ce qui fait la moitié de ton charme, imbécile! Il y a bien une raison pour que tu sois plus civilisé que nous tous. Moi, je l'adore cette chanson-là. (*Gwendoline, incertaine, regarde Becket. Il y a un petit silence. Le roi dit, soudain, froid:*) C'est un ordre, petit Saxon.

BECKET, *fermé, à Gwendoline*—Chante.

> *Elle prélude quelques mesures, tandis que le roi s'installe commodément contre elle, rotant d'aise, et commence:*

GWENDOLINE, *chantant*—
> Beau Sire Gilbert
> S'en alla-t-en guerre
> Par un beau matin
> Délivrer le cœur
> De notre Seigneur
> Chez les Sarrasins.

> Las! las! que mon cœur pèse
> D'être sans amour;
> Las! las! que mon cœur pèse
> Tout le long du jour!

LE ROI, *chantant*—
> Tout le long du jour!...

Après?

GWENDOLINE, *chantant*—
> Pendant la bataille
> D'estoc et de taille

---

[28] **Ça ne passe pas** It's hard to digest
[29] *Cf. pp. 27–28*

Maures pourfendit.
Mais pris par traîtrise
De sa jument grise,
Le soir il tombit.[30]

Las! las; que mon cœur pèse
D'être sans amour.
Las! las! que mon cœur pèse
Tout le long du jour!

Blessé à la tête,
Pris comme une bête
Beau Gilbert s'en fut[31]
Au marché d'Alger
De chaînes chargé
Pour être vendu.

LE ROI, *chantant en la caressant—*
Tout le long du jour!

GWENDOLINE—
Belle Sarrasine
Du pacha la fille
S'en éprit d'amour,
Lui jura sa flamme
Et d'être sa femme
Et l'aimer toujours.

Las! las! que mon cœur pèse
D'être sans amour..
Las! las! que mon cœur pèse
Tout le long du jour!

LE ROI, *l'interrompant*—Moi, c'est une histoire qui me tire les
larmes, mon fils! J'ai l'air d'un dur, je suis un tendre... On ne
se refait pas. Je me demande bien pourquoi tu n'aimes pas
qu'on la chante, cette chanson-là?... C'est merveilleux d'être
un enfant de l'amour! Moi, quand je vois la tête de mes augustes
père et mère, je tremble en pensant à ce qui a dû se passer...

---

[30] **tombit = tomba**   *poetic license for rhyme*
[31] **s'en fut**   was taken to

C'est merveilleux que ta mère ait fait évader ton père et qu'elle soit venue le retrouver à Londres avec toi dans son ventre. Chante-nous la fin, toi, j'adore la fin.

GWENDOLINE, *achevant doucement—*
Lors [32] au Saint Evêque
Demanda un prêtre
Pour la baptiser
Et en fit sa femme
Lui donnant son âme
Pour toujours l'aimer.

Gai! gai! mon cœur est aise [33]
D'être plein d'amour.
Gai! gai! mon cœur est aise [33]
D'être aimé toujours...

LE ROI, *rêveur—*Et il l'a toujours aimée? Ce n'est pas arrangé dans la chanson?

BECKET—Non, mon prince.

LE ROI, *qui s'est levé tout triste—*C'est drôle, c'est cette fin heureuse, moi, qui me rend triste... Tu y crois, toi, à l'amour?

BECKET, *toujours froid—*A celui de mon père pour ma mère, oui, mon prince.

Le roi a été jusqu'aux quatre barons qui se sont endormis sur leurs chaises et ronflent maintenant.

LE ROI, *leur donnant un coup de pied au passage—*Ils se sont endormis, les brutes! C'est leur façon à eux, de s'attendrir. Tu vois, mon petit Saxon, il y a des jours où j'ai l'impression qu'il n'y a que toi et moi de sensibles, en Angleterre. Nous mangeons avec des fourchettes et nous avons des sentiments infiniment distingués, tous les deux... Tu auras fait de moi un autre homme en quelque sorte... Ce qu'il faudrait me trouver maintenant, si tu m'aimais, c'est une fille qui m'aide à me dégrossir. J'en ai assez des putains. (*Il est revenu vers Gwendoline. Il la*

---

[32] **Lors** = **Alors**
[33] **aise** happy

caresse un peu et dit soudain.) Donnant donnant. Tu te rappelles?

BECKET, *tout pâle, après un temps*—Je suis votre serviteur, mon prince, et tout ce que j'ai est à vous. Mais vous avez bien voulu me dire que j'étais aussi votre ami.

LE ROI—Justement, entre amis, ça se fait. *(Un petit temps. Il sourit méchant, il caresse toujours Gwendoline, terrorisée.)* Tu tiens à elle, alors? Tu peux tenir à quelque chose, toi? Dis-le-moi si tu y tiens? *(Becket ne répond pas. Le roi sourit.)* Tu es incapable de mentir. Je te connais. Non parce que tu as peur du mensonge—je crois bien que tu es le seul homme de ma connaissance qui n'a peur de rien, même pas du ciel—, mais cela te répugne... Cela te paraît inélégant. Tout ce qui semble être de la morale, chez toi, c'est tout simplement de l'esthétique. C'est vrai ou ce n'est pas vrai?

BECKET—C'est vrai, mon Seigneur.

LE ROI—Je ne triche pas en te la demandant? Je t'ai dit donnant donnant et je t'ai demandé ta parole de gentilhomme?

BECKET, *de glace*—Et je vous l'ai donnée.

> *Un silence. Ils sont immobiles tous les deux. Le roi regarde Becket, qui ne le regarde pas, avec un sourire méchant. Le roi bouge soudain.*

LE ROI—Bon! Je rentre. J'ai envie de me coucher tôt ce soir. Charmante, ta soirée, Becket! Il n'y a décidément que toi en Angleterre pour savoir traiter royalement tes amis... *(Il va donner des coups de pied aux barons endormis.)* Aide-moi à réveiller ces porcs et appelle mes gardes... *(Les barons se réveillent avec des soupirs et des borborygmes, le roi leur crie les bousculant:)* On rentre, barons, on rentre! Je sais que vous êtes des amateurs de bonne musique, mais enfin, on ne peut pas écouter de la musique toute la nuit!... Les bonnes nuits ça se termine au lit, n'est-ce pas, Becket?

BECKET, *tout raide*—Je demande à mon prince la grâce d'un court instant.

LE ROI—Bon. Bon. Je ne suis pas une brute. Je vous attends à ma litière, tous les deux. Tu me salueras en bas.

> *Il est sorti, suivi des barons. Becket reste un instant immobile sous le regard de Gwendoline qui ne l'a pas quitté, puis il dit enfin doucement:*

BECKET—Tu vas devoir le suivre, Gwendoline.

GWENDOLINE *demande posément*—Mon Seigneur m'avait promise à lui?

BECKET—J'avais donné ma parole de gentilhomme de lui donner ce qu'il me demanderait. Je ne pensais pas que ce serait toi.

GWENDOLINE *demande encore*—S'il me renvoie demain, mon Seigneur me reprendra-t-il?

BECKET, *fermé*—Non.

GWENDOLINE—Dois-je demander aux filles de mettre mes robes dans le coffre?

BECKET—Il l'enverra prendre demain. Descends. On ne fait pas attendre le roi. Tu lui diras que je le salue.

GWENDOLINE, *posant sa viole* [34] *sur le lit*—Je laisse ma viole à mon Seigneur. Il sait déjà presque en jouer. (*Elle demande tout naturellement:*) Mon Seigneur n'aime rien au monde, n'est-ce pas?

BECKET, *fermé*—Non.

GWENDOLINE *se rapproche et lui dit doucement*—Tu es d'une race vaincue, toi aussi. Mais, à trop goûter le miel de la vie, tu as oublié qu'il restait quelque chose encore à ceux à qui on a tout pris.

BECKET, *impénétrable*—Oui, je l'ai sans doute oublié. L'honneur est une lacune chez moi. Va.

> *Gwendoline sort. Becket ne bouge pas. Puis il va au lit, prend la viole, la regarde, puis la jette sou-*

---

[34] **viole** *viol, an early string instrument characterized by six strings, frets, a flat back, and C-shaped sound holes*

*dain. Il tire la couverture de fourrure et commence
à défaire son pourpoint. Un garde entre, traînant
la fille saxonne de la forêt qu'il jette au milieu de la
pièce. Le roi paraît, hilare.*

LE ROI—Fils! tu l'avais oubliée. Tu vois comme tu es toujours
négligent! Heureusement que moi je pense à tout. Il paraît
qu'il a fallu un petit peu tuer le père et le grand frère pour
la prendre, mais la voilà tout de même. Tu vois que je suis
ton ami et que tu as tort de ne pas m'aimer. Tu m'avais dit
qu'elle te plaisait. Je ne l'ai pas oublié, moi. Bonne nuit, fils!

*Il sort, suivi des gardes. La fille, encore ahurie,
regarde Becket qui n'a pas bougé. Le reconnaissant,
elle se relève et lui sourit. Un long temps, puis elle
demande avec une sorte de coquetterie sournoise:*

LA FILLE—Il faut que je me déshabille, mon Seigneur?

BECKET, *qui n'a pas bougé*—Bien sûr. *(La fille commence à se
déshabiller. Becket la regarde, l'œil froid, sifflant, l'air absent,
quelques mesures de sa marche familière. Soudain, il s'arrête,
va à elle, prend brutalement la fille ahurie et demi-nue, par les
épaules et lui demande:)* J'espère que tu as une belle âme et
que tu trouves tout cela bien ignoble, toi?

*Un valet paraît, muet, affolé, il s'arrête sur le seuil.
Avant qu'il ait pu parler, le roi entre en courant
presque. Il s'arrête, il dit, sombre:*

LE ROI—Je n'ai pas eu de plaisir, Thomas. Elle s'est laissé coucher
comme une morte sur la litière et puis, soudain, elle a tiré
un petit couteau je ne sais d'où. Il y avait du sang partout...
C'était dégoûtant. *(Becket a lâché la fille. Le roi ajoute, ha-
gard:)* Elle aurait aussi bien pu me tuer, moi! *(Un silence. Il
dit soudain:)* Renvoie cette fille. Je vais coucher dans ta chambre
ce soir; j'ai peur. *(Becket fait un signe au valet qui emmène
la fille demi-nue. Le roi s'est jeté tout habillé sur le lit, avec un
soupir de bête.)* Prends la moitié du lit.

BECKET—Je dormirai par terre, mon prince.

LE ROI—Non, viens contre moi. Je ne veux pas être seul ce soir. *(Il le regarde et murmure:)* Tu me détestes, je ne vais même plus avoir confiance en toi...

BECKET—Vous m'avez donné votre sceau à garder, mon prince. Et les trois lions d'Angleterre qui sont gravés dessus me gardent, moi aussi.

Il est allé souffler les chandelles, sauf une. Il fait presque noir.

LE ROI, *la voix déjà embrouillée, dans l'ombre*—Je ne saurai jamais ce que tu penses...

Becket, qui a jeté une couverture de fourrure sur le roi et s'est étendu près de lui sur des coussins, lui dit doucement:

BECKET—L'aube va venir, mon prince. Il faut dormir. C'est demain que nous passons sur le continent. Dans huit jours[35] nous serons devant l'armée du roi de France et nous aurons enfin des réponses simples à tout.

Il s'est étendu près du roi. Il y a un silence pendant lequel, peu à peu, le ronflement du roi grandit. Soudain, il a un gémissement et il se met à crier, s'agitant confusément:

LE ROI, *dans son sommeil*—Ils me coursent! Ils me coursent! Ils sont armés! Arrête-les! Arrête-les!

Becket s'est dressé sur un coude; il touche le roi qui se réveille avec un grand cri de bête.

BECKET—Mon prince... Mon prince... Dormez en paix, je suis là.

LE ROI—Ah! tu es là, Thomas? Ils me poursuivaient.

[35] **Dans huit jours**　In a week

*Il se retourne et se rendort avec un soupir. Peu à
peu, son ronflement reprendra doucement. Becket
est resté dressé sur un coude; il le recouvre avec
un geste presque tendre.*

BECKET—Mon prince... Si tu étais mon vrai prince, si tu étais de
ma race, comme tout serait simple. De quelle tendresse je
t'aurais entouré, dans un monde en ordre, mon prince. Chacun
l'homme d'un homme, de bas en haut, lié par serment et n'avoir
plus rien d'autre à se demander, jamais. *(Un petit temps. Le
ronflement du roi a grandi. Becket soupire et dit avec un petit
sourire:)* Mais moi, je me suis introduit en trichant, dans la
file—double bâtard. Dors tout de même, mon prince. Tant que
Becket sera obligé d'improviser son honneur, il te servira. Et si
un jour, il le rencontre... *(Un petit temps. Il demande:)* Mais où
est l'honneur de Becket?

*Il s'est recouché avec un soupir, à côté du roi. Le
ronflement du roi se fait plus fort. La chandelle
grésille. La lumière baisse encore...*

Le rideau tombe.

DEUXIÈME ACTE

Le rideau se relève sur le même décor de piliers enchevêtrés qui figure maintenant une forêt en France, où est dressée la tente du roi, encore fermée. Une sentinelle au loin. C'est le petit matin. Autour d'un feu de camp, les quatre barons accroupis cassent la croûte, en silence. Le premier demande, après un temps (leurs réactions à tous les quatre sont assez lentes):

PREMIER BARON—Qui c'est, ce Becket?

DEUXIÈME BARON, *légèrement surpris*—C'est le chancelier d'Angleterre.

PREMIER BARON—J'entends; mais qui est-ce, au juste?

DEUXIÈME BARON—Eh bien, le chancelier d'Angleterre! Et le chancelier d'Angleterre, c'est le chancelier d'Angleterre. Je ne vois pas quelle question on peut se poser à ce sujet.

PREMIER BARON—Tu ne comprends pas. Une supposition que le chancelier d'Angleterre ce soit un autre homme... Moi, par exemple...

DEUXIÈME BARON—C'est une supposition idiote.

PREMIER BARON—C'est une supposition. Je serais [1] aussi chancelier

[1] **Je serais** If I were

34

d'Angleterre, mais je ne serais pas le même chancelier d'Angleterre que Becket. Ça, tu comprends?

DEUXIÈME BARON, *méfiant*—Oui.

PREMIER BARON—Je peux donc me poser la question.

DEUXIÈME BARON—Quelle question?

PREMIER BARON—De savoir qui c'est, ce Becket.

DEUXIÈME BARON—Comment qui c'est ce Becket? C'est le chancelier d'Angleterre.

PREMIER BARON—Oui, mais je me pose la question de savoir, en tant qu'homme, ce qu'il est.

DEUXIÈME BARON *le regarde et conclut, triste*—Tu as mal quelque part?

PREMIER BARON—Pourquoi?

DEUXIÈME BARON—Parce qu'un baron qui se pose des questions est un baron malade. Ton épée qu'est-ce que c'est?

PREMIER BARON—Mon épée?

DEUXIÈME BARON—Oui.

PREMIER BARON, *la main sur la garde*—C'est mon épée! Et celui qui en doute...

DEUXIÈME BARON—Bon. Tu as répondu comme un gentilhomme. On n'est pas là pour se poser des questions, nous autres, on est là pour répondre.

PREMIER BARON—Justement. Réponds-moi.

DEUXIÈME BARON—Pas aux questions! Aux ordres. On ne te demande pas de penser dans l'armée. Quand tu es devant un gens d'arme [2] français, tu te poses des questions?

PREMIER BARON—Non.

DEUXIÈME BARON—Et lui?

PREMIER BARON—Non plus.

[2] **un gens d'arme** (*archaic*) an arms-bearer

Deuxième Baron—Vous cognez tous les deux, c'est tout. Si vous vous mettiez à vous questionner comme des femmes, il n'y aurait plus qu'à apporter des chaises sur le champ de bataille. Les questions à poser, dis-toi bien qu'elles ont été posées avant et par des plus malins que toi, en haut lieu.

Premier Baron, *vexé*—Je voulais dire que je ne l'aimais pas.

Deuxième Baron—Tu n'avais qu'à dire ça! On t'aurait compris. Ça c'est ton droit. Moi non plus, je ne l'aime pas. (*Il ajoute comme si cela allait de soi:*) D'abord, c'est un Saxon.

Premier Baron—D'abord!

Troisième Baron—Il y a une chose qu'on ne peut pas dire, c'est qu'il ne se bat pas bien. Hier, quand le roi était dans la presse, son écuyer tué, il s'est ouvert un passage à travers les Français, il lui a pris son oriflamme [3] et il a attiré tout le monde à lui.

Premier Baron—D'accord, il se bat bien!

Troisième Baron, *au deuxième*—Il se bat pas bien?

Deuxième Baron, *buté*—Si.[4] Mais c'est un Saxon.

Premier Baron, *au quatrième qui n'a encore rien dit*—Et toi, qu'est-ce que tu en penses, Regnault?

Quatrième Baron *placide, avalant posément sa bouchée*—J'attends.

Premier Baron—Qu'est-ce que tu attends?

Quatrième Baron—Qu'il se montre. Il y a des gibiers comme ça, tu les suis tout le jour dans la forêt; au bruit, à l'odeur, à la trace... Mais ça ne servirait à rien de te précipiter l'épieu en avant; tu raterais tout, parce que tu ne sais pas au juste à quelle bête tu as affaire. Faut [5] que tu attendes.

Premier Baron—Quoi?

Quatrième Baron—Qu'elle se montre. Et la bête, si tu es patient, elle finit toujours par se montrer. La bête, elle en sait plus long que l'homme, presque toujours, mais l'homme il a quel-

---

[3] **oriflamme** *the red banner of Saint-Denis, near Paris, carried by the attendants of the early kings of France as a military ensign*
[4] **Si** *affirmative response to a negative question*
[5] **Faut** (*colloquial*) = il faut

que chose pour lui que la bête n'a pas: il sait attendre. Moi,
pour le Becket, j'attends.

PREMIER BARON—Quoi?

QUATRIÈME BARON—Qu'il se montre. Qu'il débusque. *(Il s'est remis
à manger.)* Ce jour-là, on saura qui c'est.

> *On entend la petite marche de Becket sifflée en
> coulisse.*

BECKET *entre, armé*—Je vous salue, messieurs! *(Les quatre barons
se sont levés, polis. Ils saluent militairement. Becket demande:)*
Le roi dort encore?

PREMIER BARON, *raide*—Il n'a pas appelé.

BECKET—Le maréchal de camp est venu présenter l'état des pertes?

PREMIER BARON—Non.

BECKET—Pourquoi?

DEUXIÈME BARON, *bourru*—Il en faisait partie, des pertes.

BECKET—Ah?

PREMIER BARON—Je n'étais pas loin de lui quand c'est arrivé. Un
coup de lance l'a basculé. Une fois par terre, la piétaille s'en
est chargée.

BECKET—Pauvre Beaumont! Il était si fier de son armure neuve.

DEUXIÈME BARON—Il faut croire qu'elle avait un petit trou. Ils
l'ont saigné. A terre. Cochons de Français!

BECKET *a un geste, léger*—C'est la guerre.

PREMIER BARON—La guerre est un sport comme un autre. Il y a
des règles. Autrefois, on vous prenait à rançon. Un chevalier
contre un chevalier; ça c'était se battre!

BECKET *sourit*—Depuis qu'on a donné des coutelas à la piétaille,
la lançant contre les chevaux sans aucune protection person-
nelle, elle a un peu tendance à chercher le défaut de l'armure
des chevaliers qui ont l'imprudence de tomber de cheval. C'est
ignoble mais je la comprends.

PREMIER BARON—Si on se met à comprendre la piétaille, ça ne sera plus des guerres, ça sera des boucheries!

BECKET—Le monde va certainement vers des boucheries, Baron. La leçon de cette bataille, qui nous a coûté trop cher, est que nous devons former, nous aussi, des compagnies de coupe-jarrets, voilà tout.

PREMIER BARON—Et l'honneur du soldat, Seigneur chancelier?

BECKET, *un peu sec*—L'honneur du soldat, Baron, c'est de vaincre. Ne soyons pas hypocrites. La noblesse normande s'est fort bien chargée de l'apprendre à ceux qu'elle a vaincus. Je réveille le roi. Notre entrée dans la ville est prévue pour huit heures et le *Te Deum* [6] à la cathédrale à neuf heures et quart. Il serait impolitique de faire attendre l'évêque français. Il faut que ces gens-là collaborent avec nous de bon cœur.

PREMIER BARON *grommelle*—De mon temps, on égorgeait tout et on entrait après!

BECKET—Dans une ville morte. Je veux donner au roi des villes vivantes qui l'enrichissent. A partir de ce matin, huit heures, je suis le meilleur ami des Français.

PREMIER BARON *demande encore*—Et l'honneur anglais, alors?

BECKET, *doucement*—L'honneur anglais, Baron, en fin de compte, ça a toujours été de réussir.

> *Il est entré dans la tente du roi, souriant. Les quatre barons se regardent, hostiles.*

DEUXIÈME BARON *murmure*—Quelle mentalité!

QUATRIÈME BARON *conclut sentencieux*—Il faut l'attendre. Un jour, il débusquera.

> *Les quatre barons s'éloignent. Becket lève le rideau de la tente et l'accroche. On aperçoit le roi couché avec une fille.*

[6] **Te Deum** *ancient Latin hymn of praise sung regularly at morning prayer in the Roman Catholic Church.*

LE ROI, *bâillant*—Bonjour, mon fils! Tu as bien dormi?

BECKET—Un petit souvenir français à l'épaule gauche m'en a empêché, mon prince. J'en ai profité pour réfléchir.

LE ROI, *soucieux*—Tu réfléchis trop. Ça finira par te jouer un mauvais tour. C'est parce qu'on pense, qu'il y a des problèmes. Un jour, à force de penser, tu te trouveras devant un problème, ta grosse tête te présentera une solution et tu te flanqueras dans une histoire impossible—qu'il aurait été beaucoup plus simple d'ignorer, comme le font la plupart des imbéciles qui, eux, vivent vieux. Qu'est-ce que tu en dis de ma petite Française? J'adore la France, moi!

BECKET *sourit*—Moi aussi, mon prince, comme tous les Anglais.

LE ROI—Il y fait chaud, les filles sont belles, le vin est bon. Je compte y passer quelques semaines tous les hivers.

BECKET—Il n'y a qu'un ennui, c'est que ça coûte cher. Près de deux mille hommes hors de combat hier.

LE ROI—Beaumont a fait ses comptes?

BECKET—Oui. Et il s'est ajouté à la liste.

LE ROI—Blessé? *(Becket ne répond pas, le roi frissonne. Il dit, sombre, soudain:)* Je n'aime pas apprendre la mort des gens que je connais. J'ai l'impression que ça va lui donner des idées...

BECKET—Mon prince, voyons-nous les affaires? Nous n'avons pas dépouillé les dépêches, hier.

LE ROI—Hier, on s'est battus! On ne peut pas tout faire.

BECKET—C'était vacances! Il faut travailler double aujourd'hui.

LE ROI, *ennuyé*—Avec toi, ça finirait par être ennuyeux, d'être roi. Toujours à se préoccuper des autres... Il me semble que j'entends l'archevêque. Tu étais meilleur compagnon autrefois! Moi, quand je t'ai nommé chancelier, avec tous les revenus attachés à la charge, j'ai cru que tu allais tout simplement faire deux fois plus la fête, voilà tout!

BECKET—Mais je m'amuse, moi, mon prince, en ce moment. Je m'amuse beaucoup.

LE ROI—Travailler au bien de mes peuples, cela t'amuse, toi? Tu les aimes ces gens-là? D'abord, ils sont trop nombreux. On ne peut pas les aimer, on ne les connaît pas! Et puis, tu mens, tu n'aimes rien.

BECKET, *net soudain*—J'aime au moins une chose, mon prince, et cela j'en suis sûr. Bien faire ce que j'ai à faire.

LE ROI, *goguenard*—Toujours l'é... l'é..., comment c'est ton mot, je l'ai oublié?

BECKET *sourit*—L'esthétique?

LE ROI—L'esthétique! Toujours l'esthétique?

BECKET—Oui, mon prince.

LE ROI, *tapant sur la croupe de la fille*—Et ça, ce n'est pas de l'esthétique? Il y a des gens qui s'extasient sur les cathédrales. Ça aussi, c'est réussi! Quelle rondeur... *(Il demande, naturel comme s'il proposait une dragée:)* Tu en as envie?

BECKET, *souriant*—Les affaires, mon prince!

LE ROI, *boudeur, comme un mauvais élève*—Bon! Les affaires. Je t'écoute. Assieds-toi.

BECKET, *s'asseyant familièrement près de lui, la fille entre eux, méduséé*—Les nouvelles ne sont pas bonnes, mon prince.

LE ROI *a un geste insouciant*—Les nouvelles ne sont jamais bonnes! C'est connu. La vie n'est faite que de difficultés. Le secret, car il y en a un, mis au point par plusieurs générations de philosophes légers, c'est de ne leur accorder aucune importance. Elles finissent par se manger les unes les autres et tu te retrouves dix ans plus tard ayant tout de même vécu. Les choses s'arrangent toujours...

BECKET—Oui. Mais mal. Mon prince, quand vous jouez à la paume ou à la crosse, laissez-vous les choses s'arranger? Attendez-vous la balle dans votre raquette en disant: «Elle finira bien par venir?»

LE ROI—Je t'arrête. Il s'agit là de choses sérieuses. Une partie de paume c'est important, ça m'amuse.

BECKET—Et si je vous apprenais que gouverner cela peut être aussi amusant qu'une partie de cricket? Allons-nous laisser la balle aux autres, mon prince, ou allon-nous tâcher de marquer le point tous les deux, comme deux bons joueurs anglais?

LE ROI, *réveillé soudain par l'intérêt sportif*—Le point, pardieu, le point! Au mail,[7] je me crève, je tombe, je me désosse, je triche au besoin, mais je n'abandonne jamais le point!

BECKET—Eh bien, voilà où en est le score. Lorsque je fais la synthèse de toutes les informations que j'ai reçues de Londres depuis que nous sommes passés sur le continent, une chose me frappe: c'est qu'il y a en Angleterre une puissance qui grandit jusqu'à concurrencer la vôtre, mon Seigneur, c'est celle de votre clergé.

LE ROI—Nous avons fini par obtenir qu'ils paient la taxe. C'est déjà quelque chose!

BECKET—C'est un peu d'argent. Et ils savent qu'on calme toujours les princes avec un peu d'argent. Mais ces gens-là s'y entendent admirablement pour reprendre d'une main ce qu'ils ont dû lâcher de l'autre. C'est un petit tour d'escamoteur pour lequel ils ont des siècles d'expérience derrière eux.

LE ROI, *à la fille*—Ecoute, ma petite caille, instruis-toi. Le monsieur dit des choses profondes!

BECKET, *jouant le même jeu, léger*—Petite caille française, instruis-nous plutôt. Que préférerais-tu quand tu seras mariée—si tu te maries malgré les accrocs de ta vertu—être la maîtresse chez toi ou que le curé de ton village y vienne faire la loi?

LE ROI, *un peu vexé, se dresse soudain à genoux sur le lit, cachant la fille ahurie sous un édredon*—Soyons sérieux, Becket! Les prêtres sont toujours à intriguer, je le sais. Mais je sais aussi que je peux les briser quand je veux.

BECKET—Soyons sérieux, Altesse. Si vous ne brisez pas tout de suite, dans cinq ans, il y aura deux rois en Angleterre. L'Archevêque-primat de Cantorbéry et vous. Et, dans dix ans, il n'y en aura plus qu'un.

[7] **le mail** *a game similar to croquet*

LE ROI *demande, un peu penaud*—Et ça ne sera pas moi?

BECKET, *froid*—Je le crains.

LE ROI *crie soudain*—Ce sera moi, Becket! Chez les Plantagenêts on ne se laisse rien prendre! A cheval! A cheval, Becket, et pour la grandeur de l'Angleterre! Sus aux fidèles! [8] Pour une fois ça nous changera.

> *L'édredon s'agite soudain. La fille en sort ébouriffée, congestionnée, suppliant:*

LA FILLE—J'étouffe, Seigneur!

LE ROI *la regarde, étonné, il l'avait oubliée. Il éclate de rire*—Qu'est-ce que tu fais là, toi? Tu espionnes pour le compte du clergé? File à côté! Rhabille-toi et rentre chez toi. Donne-lui une pièce d'or, Thomas.

LA FILLE *rassemble ses hardes et s'en cache, elle demande:*—Je dois revenir au camp ce soir, Seigneur?

LE ROI, *exaspéré*—Oui. Non. Je ne sais pas! On s'occupe de l'Archevêque en ce moment, pas de toi! File! *(La fille disparaît dans l'arrière-tente. Le roi crie:)* A cheval, Thomas! Pour la grandeur de l'Angleterre, avec mon gros poing et ta grosse tête, on va faire du bon travail tous les deux! *(Il est inquiet soudain, il change de ton.)* Une minute. On n'est jamais sûr d'en retrouver une qui fasse aussi bien l'amour. *(Il va vers l'arrière-tente et crie:)* Reviens ce soir, mon ange. Je t'adore! Tu as les plus jolis yeux du monde!... *(Il revient et confie à Becket:)* Il faut toujours leur dire ça, même quand on les paie, si on veut vraiment avoir du plaisir avec elles. Ça aussi, c'est de la haute politique! *(Sa peur de petit garçon devant les prêtres lui revient soudain.)* Et Dieu, qu'est-ce qu'il dira de tout ça? Après tout ce sont ses évêques.

BECKET *a un geste léger*—Nous ne sommes plus des petits garçons. Vous savez très bien qu'on finit toujours par s'arranger avec Dieu, sur la terre... Allez vite vous habiller, mon prince. Nous entrons dans la ville à huit heures et «Il» nous attend dans

---

[8] **Sus aux fidèles!** Up and at the faithful!

sa cathédrale à neuf heures et quart, pour le *Te Deum*. Avec des petites politesses, on le calme très bien.

LE ROI, *qui le regarde, plein d'admiration*—Quelle canaille tu fais!... *(L'embrassant soudain gentiment.)* Je t'aime, mon Thomas! Avec un premier ministre ennuyeux, je n'aurais eu le courage de rien!

BECKET *se dégage avec un imperceptible agacement, que le roi ne voit pas*—Vite, mon prince! Maintenant, nous allons être en retard.

LE ROI, *filant*—Je suis prêt dans un instant! Je me fais raser?

BECKET *sourit*—Il vaudrait mieux, après deux jours de bataille...

LE ROI—Que de frais pour des Français vaincus! Je me demande parfois si tu ne raffines pas un peu trop, Thomas.

> *Il est sorti. Becket ferme la tente comme deux soldats amènent un petit moine, les mains liées.*

BECKET—Qu'est-ce que c'est?

LE SOLDAT—Un petit moine qu'on vient d'arrêter, Seigneur. Il rôdait autour du camp. Il avait un couteau sous sa robe. On l'amène au prévôt.

BECKET—Tu as le couteau? *(Le soldat le lui tend. Becket regarde le couteau, puis le petit moine.)* Tu es Français?

LE PETIT MOINE—*No, I am English.*

BECKET—D'où?

LE PETIT MOINE, *sombre, jette comme une insulte*—Hastings!

BECKET, *amusé*—Tiens! *(Au soldat.)* Laissez-le-moi. Je vais l'interroger.

LE SOLDAT—C'est qu'il est turbulent, Seigneur. Il se débattait comme un vrai diable. Il a fallu se mettre à quatre [9] pour lui prendre son couteau et lui lier les mains. Il a blessé le sergent. On l'aurait bien abattu tout de suite, mais le sergent a fait

---

[9] **Il a fallu se mettre à quatre** It took four of us

remarquer qu'il y aurait peut-être des choses à lui faire dire. C'est pour ça qu'on l'amène au prévôt. *(Il ajoute:)* C'était pour vous dire qu'il est mauvais...

BECKET, *qui n'a pas cessé de regarder curieusement le petit moine—* C'est bien. Restez à distance. *(Les soldats s'éloignent. Becket regarde toujours le petit moine, jouant avec le couteau.)* Qu'est-ce que tu fais, dans ton couvent, avec ça?

LE PETIT MOINE—*I cut my bread with it.*

BECKET, *calme*—Parle donc français, tu le sais très bien.

LE PETIT MOINE *ne peut s'empêcher de crier*—*How do you know it?*

BECKET—Je sais très bien le saxon et très bien le français. Et quand un Saxon sait les deux langues, je l'entends. Tout se déforme, mon petit, même le saxon. *(Il ajoute, sec:)* Et, au point où tu en es, il vaut autant pour toi qu'on te croie Français que Saxon. C'est moins mal vu.

LE PETIT MOINE, *après un temps, soudain*—J'ai accepté de mourir.

BECKET *sourit*—Après. Mais avant, avoue que c'est stupide? *(Il regarde le couteau qu'il tient toujours entre deux doigts.)* C'était pour qui cet instrument de cuisine? *(Le petit moine ne répond pas.)* Avec ça, tu ne pouvais espérer tuer qu'une fois. Tu n'as pas fait le voyage pour un simple soldat normand, j'imagine?

Le petit moine ne répond pas.

BECKET, *un peu plus sec*—Mon petit bonhomme, ils vont te passer à la question. Tu n'as jamais vu ça? Moi, il m'est arrivé professionnellement d'être tenu d'y assister. On croit qu'on a de la force d'âme, mais ils sont terriblement ingénieux et ils ont une science de l'anatomie que nos ânes de médecins devraient bien leur emprunter. Crois-en mon expérience, on parle toujours. Si je me porte garant que tu as tout avoué, cela sera plus court, pour toi. C'est appréciable. *(Le moine ne répond pas.)* D'ailleurs, il y a un détail amusant dans cette histoire. Tu dépends directement de ma juridiction. Le roi m'a donné les titres et les bénéfices de toutes les abbayes de Hastings en me faisant chancelier. Il a dû y mettre de la malice en choisissant justement cet endroit-là, mais j'ai fait semblant de ne pas m'en apercevoir.

Le Petit Moine *a un recul et demande*—Vous êtes Becket?

Becket—Oui. *(Il regarde le couteau qu'il tient toujours entre deux doigts, un peu dégoûté.)* Tu ne coupais pas seulement ton pain. Il pue l'oignon, ton couteau, comme un couteau de vrai petit Saxon. Ils sont bons, hein, les oignons de Hastings? *(Il regarde encore le couteau avec un étrange sourire, puis le petit moine muet.)* Tu ne m'as toujours pas dit pour qui? Si c'était pour moi, avoue que le moment est rudement bien choisi, à ce détail près que c'est moi qui tiens le couteau. *(Le moine ne répond pas.)* Tu sais plusieurs langues, mais tu es muet. Notre dialogue n'ira pas loin, je le sens. Si c'était pour le roi, cela n'avait aucun sens, mon petit. Il a trois fils. Les rois, ça repousse! Tu croyais délivrer ta race à toi tout seul?

Le Petit Moine—Non. *(Il ajoute, sourdement:)* Me délivrer, moi.

Becket—De quoi?

Le Petit Moine—De ma honte.

Becket, *soudain plus grave*—Quel âge as-tu?

Le Petit Moine—Seize ans.

Becket, *doucement*—Il y a cent ans que les Normands occupent l'île. Elle est vieille, la honte. Ton père et ton grand-père l'ont bue. La coupe est vide maintenant.

Le Petit Moine—Non.

Becket *a comme une ombre dans le regard; il continue doucement*—Alors, un beau matin, à seize ans, tu t'es réveillé dans ta cellule, à la cloche du premier office, dans la nuit. Et c'est les cloches qui t'ont dit de reprendre toute la honte à ton compte?

Le Petit Moine *a comme un cri de bête traquée*—Qui vous a dit ça?

Becket, *doucement, négligent*—Je t'ai dit que j'étais polyglotte. *(Il demande, indifférent:)* Tu sais que je suis Saxon comme toi?

Le Petit Moine, *fermé*—Oui.

GOSHEN COLLEGE LIBRARY
GOSHEN, INDIANA 46526

BECKET, *souriant*—Crache. Tu en as envie.

> *Le petit moine le regarde un peu ahuri, puis il crache.*

BECKET, *toujours souriant*—Cela fait du bien, n'est-ce pas? *(Il parle net, soudain.)* Le roi m'attend et notre conversation serait trop longue. Mais je tiens à te garder en vie, pour l'avoir avec toi un de ces jours. *(Il ajoute, léger:)* C'est du pur égoïsme, tu sais... Ta vie n'a évidemment aucune importance pour moi, mais il est très rare que le destin vous amène votre propre fantôme, jeune. *(Il appelle:)* Soldat! *(Le soldat revient et se fige au garde-à-vous dans un bruit d'armes.)* Va me chercher le prévôt tout de suite. *(Le soldat part en courant, Becket revient au petit moine, muet.)* Un matin charmant, n'est-ce pas? Ce soleil déjà chaud sous cette très légère brume... C'est très beau, la France! Mais je suis comme toi, je préfère le solide brouillard de la lande de Hastings. C'est du luxe, le soleil. Et nous sommes d'une race qui méprisait le luxe, tous les deux... *(Le prévôt du camp s'est avancé, suivi du soldat. C'est un personnage important, mais Becket est inaccessible, même pour un prévôt, cela se sent.*[10]*)* Monsieur le Prévôt, vos hommes ont arrêté ce moine qui rôdait autour du camp. C'est un convers du couvent de Hastings et il dépend directement de ma juridiction. Vous allez prendre vos dispositions pour le faire repasser en Angleterre et le faire emmener au couvent où son abbé devra le garder à vue, jusqu'à mon retour. Aucune charge particulière contre lui, pour l'instant. J'entends qu'il soit traité sans brutalité, mais étroitement surveillé. Vous m'en répondez.

LE PRÉVÔT—Bien, mon Seigneur.

> *Il fait un signe. Les soldats ont encadré le petit moine. Ils l'emmènent sans que Becket ait eu un nouveau regard pour lui. Resté seul, Becket regarde le couteau, la narine offensée, il murmure, reniflant, un peu dégoûté.*

[10] **cela se sent**   it's obvious

BECKET—C'est touchant, mais cela pue tout de même... *(Il jette le couteau au loin, siffle sa petite marche, se dirigeant vers la tente. Il entre dans la tente, criant, léger:)* Eh bien, mon prince, vous vous êtes fait beau? Il est temps de partir ou nous allons faire attendre l'évêque!...

> *Des cloches joyeuses éclatent soudain. La tente disparaît dès que Becket y est entré. Le décor se transforme, une petite perspective de rue descend des cintres.*
> *La rue. Ce sont les mêmes piliers, mais les soldats faisant la haie les garnissent soudain d'oriflammes. Le roi et Becket avancent dans la ville, à cheval, précédé de deux trompettes, le roi légèrement en avant sur Becket et suivis tous deux des quatre barons. Bruit des acclamations de la foule. Cloches. Trompettes pendant toute la scène.*

LE ROI, *ravi, saluant*—Ils nous adorent ces Français!

BECKET—Cela m'a coûté assez cher. J'ai fait distribuer de l'argent à la populace ce matin. Les bourgeois, en revanche, boudent chez eux.

LE ROI *demande*—Patriotes?

BECKET—Non. Mais ils m'auraient coûté trop cher. Il y a aussi, dans la foule, un certain nombre de soldats de Votre Altesse, déguisés pour entraîner les hésitants.

LE ROI—Pourquoi joues-tu toujours à tuer toutes mes illusions? Je me croyais aimé pour moi-même! Tu es un homme amoral, Becket. *(Il demande soudain inquiet:)* On dit amoral ou immoral?

BECKET *sourit*—Cela dépend de ce qu'on veut dire. La seule chose qui soit immorale, mon prince, c'est de ne pas faire ce qu'il faut, quand il le faut.

LE ROI, *saluant la foule, gracieux*—En somme, c'est un remède auquel tu ne crois pas, la morale?

BECKET, *saluant aussi après lui*—Seulement pour l'usage externe, mon prince.

LE ROI—Elle est jolie, la petite à droite sur le balcon! Si on s'arrêtait?

BECKET—Impossible, l'horaire du cortège est très strict et l'évêque nous attend à la cathédrale.

LE ROI—Ça serait tout de même plus amusant que d'aller voir un évêque. J'en ai trop vu, d'évêques! J'en ai une indigestion! Repère la maison.

BECKET—C'est noté. En face de l'Hôtellerie du Cerf, rue des Tanneurs.[11]

LE ROI, *étonné*—Tu es un homme étonnant. Tu connais cette ville?

BECKET—J'y ai étudié le français. Mon père avait tenu à celle-là. C'est celle où l'accent y est le plus pur.

LE ROI—Alors, tu connais toutes les femmes, ici?

BECKET, *souriant*—Oui. Mais elles ont dû vieillir. Mon Seigneur, vous vous rappelez de ce que vous devez dire à l'évêque?

LE ROI, *saluant*—Mais oui, mais oui! Tu penses comme ça peut être important, ce que j'ai à dire à un évêque français, dont je viens de prendre la ville par force!

BECKET—Très important. Pour notre politique à venir.

LE ROI—Je suis le plus fort ou je ne suis pas le plus fort?

BECKET—Vous êtes le plus fort, aujourd'hui. C'est pourquoi il faut être particulièrement courtois avec l'évêque. Vous paraîtrez à cet homme mille fois plus fort encore.

LE ROI—Courtois! Avec un vaincu! Mon grand-père, quand on lui avait résisté, lui, égorgeait tout le monde. On s'amollit depuis l'invention des fourchettes!

BECKET—Mon prince, il ne faut jamais désespérer son ennemi. Cela le rend fort. La douceur est une meilleure politique. Elle dévirilise. Une bonne occupation ne doit pas briser, elle doit pourrir.

---

[11] *Hostelry of the Stag, on Tanners Street*

LE ROI, *goguenard*—Tu vas me donner des leçons d'occupation, toi, petit Saxon?

BECKET—Justement, mon prince. J'ai eu cent ans pour y penser.

LE ROI, *saluant, gracieux*—Et mon plaisir, qu'est-ce que tu en fais? Si ça me chantait [12] à moi d'entrer dans ce tas de mangeurs de grenouilles tout de suite au lieu d'aller faire le singe à leur *Te Deum?* Je peux bien me passer un plaisir, non? [13] Je suis le vainqueur.

BECKET—Ce serait une faute. Et pire, une faiblesse. On peut tout se permettre, mon prince, mais il ne faut rien se passer.[14]

LE ROI—Bien, papa! Quel cafard tu fais aujourd'hui. Regarde la jolie rousse debout sur la fontaine! Donne des ordres pour que le cortège suive le même chemin au retour. (*Il avance, la tête tournée sur son cheval, pour voir encore la fille jusqu'à la limite du possible. Ils sont passés, les quatre barons fermant la marche. Bruit d'orgues. Les oriflammes disparaissent avec les soldats: c'est la cathédrale. Le décor est vide. On entend les orgues, des accords, l'organiste s'exerce, puis on pousse, côté cour, une sorte de cloison qui figure la sacristie. Le roi, habillé pour la cérémonie, les barons, un prêtre inconnu et un enfant de chœur entrent. Ils semblent attendre. Le roi, impatienté, s'assied sur un tabouret. Becket n'est pas là.*) Mais où est Becket? Et qu'est-ce qu'on attend?

PREMIER BARON—Il a seulement dit d'attendre, mon Seigneur. Qu'il y avait quelque chose qui n'était pas tout à fait au point.

LE ROI *se lève et marche de mauvaise humeur*—Que de cérémonies pour un évêque français! De quoi ai-je l'air, moi, à faire le pied de grue dans cette sacristie, comme un jeune marié?

QUATRIÈME BARON—C'est bien mon avis, mon Seigneur. Je ne comprends pas qu'on n'entre pas. Après tout, elle est à vous cette cathédrale, maintenant! (*Il demande:*) On y fonce tout de même, l'épée au poing, mon Seigneur?

[12] **Si ça me chantait**   If it should suit me
[13] **Je peux bien me passer un plaisir, non?**   (*familiar*) I can have myself a pleasure, can't I?
[14] **mais il ne faut rien se passer**   but you mustn't allow yourself anything

LE ROI, *soucieux, allant se rasseoir sagement*—Non. Becket ne serait pas content. Et il en sait tout de même plus long que nous sur ce qu'il convient de faire. S'il nous fait attendre, c'est qu'il doit y avoir une raison. *(Becket entre affairé.)* Alors, Becket? On gèle ici! Qu'est-ce qu'ils ont ces Français à nous faire moisir dans leur sacristie?

BECKET—C'est moi qui en ai donné l'ordre, mon Seigneur. Une mesure de sécurité. Les hommes de ma police ont la certitude qu'un soulèvement français devait éclater pendant la cérémonie.

Le roi s'est levé.

DEUXIÈME BARON *tire son épée imité des autres*—Tudieu!

BECKET—Rentrez vos armes. Ici, le roi ne risque rien. J'ai fait garder les issues.

DEUXIÈME BARON—Nous permettez-vous d'aller nettoyer tout ça, mon prince? Avec nous, ça ne traînera pas.

QUATRIÈME BARON—On entre dedans?

BECKET, *sec*—Je vous l'interdis. Nous ne sommes pas en nombre. Je fais entrer de nouvelles troupes dans la ville et évacuer la cathédrale. Jusqu'à ce que ce soit fini, je vous remets la personne du roi, messieurs. Mais rentrez vos armes. Pas de provocation, s'il vous plaît. Nous sommes à la merci d'un incident et je n'ai encore que les cinquante hommes d'escorte dans la ville.

LE ROI *tire Becket par la manche*—Becket! Ce prêtre est Français?

BECKET, *qui l'a regardé*—Oui, mais il fait partie de l'entourage immédiat de l'évêque. Et l'évêque nous est acquis.

LE ROI—Tu sais comme nous pouvons compter sur les évêques anglais... Je te laisse à penser d'un évêque français!... Cet homme a un régard qui ne me paraît pas franc.

BECKET—L'évêque?

LE ROI—Non. Ce prêtre.

BECKET, *qui a regardé le prêtre, éclate de rire*—Je pense bien, mon prince, il louche! Je vous assure que c'est tout ce qu'il a d'inquiétant. Il serait maladroit de lui demander de sortir. Et, d'ailleurs, même s'il avait un poignard, vous avez votre cotte et quatre de vos barons. Je vais contrôler l'évacuation de la nef.

Il va sortir, le roi le rattrape.

LE ROI—Becket! *(Becket s'arrête.)* Et l'enfant de chœur?

BECKET, *riant*—Il est grand comme ça!

LE ROI—C'est peut-être un nain. Avec ces Français, on ne sait jamais. *(Il attire Becket à lui.)* Becket, nous avons parlé un peu légèrement ce matin. Tu es sûr que ce n'est pas Dieu qui se venge?

BECKET *sourit*—Sûrement pas. C'est tout simplement, je le crains, ma police qui a pris peur ou qui fait du zèle. Les policiers ont un peu tendance à voir des assassins partout, pour se faire valoir. Mais bah! Nous entendrons ce *Te Deum* dans une église déserte, voilà tout.

LE ROI, *amer*—Et moi qui croyais tout à l'heure que ces gens-là m'adoraient! Tu ne leur as peut-être pas fait distribuer assez d'argent?

BECKET—On n'achète que ceux qui sont à vendre, mon prince. Et ceux-là, précisément, ne sont pas dangereux. Pour les autres, c'est loups contre loups. Je reviens tout de suite vous rassurer.

> *Il sort.*
> *Le roi commence à observer avec inquiétude les évolutions du prêtre qui fait les cent pas, marmonnant des prières. Il appelle:*

LE ROI—Baron!

> *Le quatrième baron qui est le plus près du roi s'avance et demande de sa voix tonitruante:*

QUATRIÈME BARON—Mon Seigneur?

LE ROI, *le faisant taire*—Chut! Surveillez cet homme, tous les quatre et, au moindre geste, sautez-lui dessus. *(Petit manège comique*

*des barons et du prêtre qui commence à être inquiet, lui aussi.
On frappe soudain brutalement à la porte de la sacristie. Le
roi sursaute:)* Qu'est-ce que c'est?

Un Soldat *entre*—Un messager de Londres, Seigneur. Il vient du
camp. On l'a envoyé ici. Le message est urgent.

Le Roi, *soucieux*—C'est louche. Va voir Regnault.

Le quatrième baron sort et revient, rassuré.

Quatrième Baron—C'est Guillaume de Corbeil, mon Seigneur.
Il a des lettres urgentes.

Le Roi—Tu es bien sûr que c'est lui? Ce n'est pas un Français qui
se serait fait sa tête? Le coup est classique.

Quatrième Baron *éclate de rire*—Je le connais, mon prince! J'ai
vidé plus de pintes [15] avec lui qu'il n'a de poils sur la gueule.
Et il en a, le cochon!

*Le roi fait un geste. Le quatrième baron introduit
le messager qui présente ses lettres au roi, un genou
en terre.*

Le Roi—Merci. Relève-toi. Tu as une belle barbe, Guillaume de
Corbeil! Elle tient bien? [16]

Le Messager, *se relevant, ahuri*—Ma barbe?

Le quatrième baron rigole et lui tape sur l'épaule.

Quatrième Baron—Ce vieux cher hérisson!

Le Roi, *qui a parcouru les lettres*—De bonnes nouvelles, messieurs.
Nous avons un ennemi de moins. *(Il crie joyeusement à Becket
qui rentre:)* Becket!

Becket—Tout s'arrange, mon prince, les troupes sont en route.
Nous n'avons plus qu'à attendre ici tranquillement.

---

[15] vidé . . . de pintes   emptied fifths (of liquor)
[16] Elle tient bien?   Is it firmly attached?

LE ROI, *joyeux*—Tout s'arrange, en effet, Becket! Dieu ne nous en veut pas. Il vient de rappeler à lui l'Archevêque!

BECKET *murmure, frappé*—Ce vieux petit homme... Comment ce faible corps pouvait-il renfermer tant de force?

LE ROI—Hé là, hé là! Ne gaspille pas ta tristesse, mon fils. Je considère personnellement ça comme une excellente nouvelle!

BECKET—C'est le premier Normand qui se soit intéressé à moi. Il a véritablement été comme un père pour moi. Dieu ait son âme! [17]

LE ROI—Rassure-toi. Après tout ce qu'il a fait pour Lui, il est au ciel—où il sera infiniment plus utile à Dieu qu'à nous. Tout est donc pour le mieux! *(Il l'attire à lui.)* Becket! Mon petit Becket. Je crois que nous tenons la balle. C'est maintenant qu'il s'agit de marquer le point. *(Il l'a entraîné par le bras, tendu, transformé.)* Il est en train de me venir une idée extraordinaire, Becket! Un coup de maître à jouer. Je ne sais pas ce que j'ai, ce matin, mais je me sens tout d'un coup extrêmement intelligent. C'est peut-être d'avoir fait l'amour à une Française, cette nuit! Je suis subtil, Becket, je suis profond. Si profond que j'en ai une sorte de vertige. Tu es sûr que ce n'est pas dangereux de penser trop fort? Thomas, mon petit Thomas! Tu m'écoutes?

BECKET, *souriant de son exaltation*—Oui, mon prince.

LE ROI, *excité comme un petit garçon*—Tu m'écoutes bien? Ecoute, Thomas! Tu m'as dit une fois que les idées les meilleures, c'était les plus bêtes, mais qu'il suffisait d'y penser. Ecoute, Thomas! La coutume m'empêche de toucher aux privilèges de la primatie.[18] Tu me suis bien?

BECKET—Oui, mon prince...

LE ROI—Mais si le primat [19] est mon homme? Si l'Archevêque de Cantorbéry est pour le roi, en quoi peut me gêner son pouvoir?

BECKET—C'est ingénieux, mon prince, mais vous oubliez que l'élection est libre.

[17] **Dieu ait son âme!** May he rest in peace!
[18] **la primatie** primacy (*supreme ecclesiastic authority*)
[19] **primat** primate (*highest ranking bishop in a province*)

LE ROI—Non! C'est toi qui oublies la main royale! Tu sais ce que c'est? Quand le candidat déplaît au trône, le roi envoie son justicier à l'assemblée des évêques et c'est le roi qui a le dernier mot. Ça aussi, c'est une coutume et, pour une fois, elle m'est favorable! Il y a cent ans que l'assemblée des évêques n'a pas élu contre le vœu du roi!

BECKET—Sans doute, mon Seigneur. Mais nous les connaissons, tous vos évêques. Duquel serez-vous assez sûr? La mitre de primat coiffée, un vertige les gagne.

LE ROI—Tu me le demandes, Becket? De quelqu'un qui ne connaît pas le vertige... de quelqu'un qui n'a même pas peur du ciel. Thomas, mon fils, j'ai besoin de toi encore et c'est sérieux, cette fois. Je regrette de te priver des filles de France et des batailles, mon fils, mais le plaisir sera pour plus tard. Tu vas passer en Angleterre.

BECKET—Je suis à vos ordres, mon prince.

LE ROI—Tu devines quelle y sera ta mission?

BECKET, *sur le visage duquel se lit déjà comme une angoisse de ce qui va suivre*—Non, mon prince.

LE ROI—Tu y porteras des lettres personnelles de moi, à chaque évêque en particulier. Et tu sais ce que contiendront ces lettres, mon Thomas, mon petit frère? Ma volonté royale de te voir élire Primat.

BECKET, *qui est comme pétrifié soudain, tout pâle, essaie de rire*—C'est une plaisanterie, mon prince? Voyez un peu l'homme édifiant, le saint homme, que vous voudriez charger de ces saintes fonctions! *(Il a écarté son bel habit comiquement.)* Ah! mon prince, la bonne farce! *(Le roi éclate de rire, Becket rit aussi, trop fort, soulagé.)* Quel bel archevêque j'aurais fait! Regardez mes nouvelles chaussures! C'est la dernière mode de Paris. N'est-ce pas gracieux, ce petit retroussis? N'est-ce pas plein d'onction et de componction?

LE ROI, *cessant de rire soudain*—Fous-moi la paix [20] avec tes

---

[20] **Fous-moi la paix** (*vulgar*) Leave me alone

chaussures, Thomas! Je suis sérieux en ce moment. J'écrirai les lettres avant midi. Tu m'aideras.

BECKET, *blême, balbutie, figé à nouveau*—Mais je ne suis même pas prêtre, mon Seigneur.

LE ROI, *net*—Tu es diacre. Tu as les délais. Tu peux prononcer tes derniers vœux demain et être ordonné dans un mois.

BECKET—Mais avez-vous songé à ce que dirait le Pape?

LE ROI, *brutal*—Je paierai!

BECKET *murmure, comme abattu, après un silence angoissé*—Mon prince, je vois maintenant que vous ne plaisantez pas. Ne faites pas cela.

LE ROI—Pourquoi?

BECKET—Cela me fait peur.

LE ROI, *dont le masque est devenu dur*—C'est un ordre, Becket.

> *Becket ne bouge pas, pétrifié. Un temps. Il murmure encore:*

BECKET, *grave*—Si je deviens Archevêque, je ne pourrai plus être votre ami.

> *L'orgue éclate soudain dans la cathédrale. Un officier paraît.*

L'OFFICIER—L'église est vide, mon Seigneur. L'évêque et son clergé attendent le bon plaisir de Votre Altesse.

LE ROI, *brutalement à Becket*—Tu entends, Becket! Reviens à toi. Tu as une façon d'apprendre les bonnes nouvelles. Où es-tu? On te dit que nous pouvons y aller.

> *Le cortège se forme, le prêtre et l'enfant de chœur en tête. Becket, prenant sa place comme à regret un peu en arrière du roi, murmure encore:*

BECKET—C'est une folie, mon Seigneur. Ne faites pas cela. Je ne saurai servir Dieu et vous!

Le Roi, *qui regarde devant lui, fermé*—Tu ne m'as jamais déçu, Thomas. Et il n'y a qu'en toi que j'ai confiance. Je le veux. Tu partiras ce soir. Allons, maintenant...

> *Il a fait un signe au prêtre. Le cortège se met en marche et passe dans la cathédrale vide où gronde l'orgue.*
> *Un instant d'ombre, avec l'orgue. Dans un éclairage incertain, la chambre de Becket. Des coffres ouverts où deux valets empilent de riches vêtements.*

Deuxième Valet, *il est plus jeune que le premier*—La veste bordée de martre aussi?

Premier Valet—Tout, on t'a dit!

Deuxième Valet *grommelle*—De la martre! A des pauvres! Ils ne pourront plus se faire un sou, quand ils auront ça sur le dos. Ils vont crever de faim.

Premier Valet, *rigolant*—Ils boufferont la martre, imbécile! Tu ne comprends donc pas qu'on va tout vendre et qu'on leur donnera l'argent?

Deuxième Valet—Mais lui, qu'est-ce qu'il se mettra? Il ne lui reste plus rien.

Becket *entre. Il a une robe de chambre grise, très simple*—Les coffres sont pleins? Je veux qu'ils soient partis avant ce soir. Qu'il ne reste que des murs ici. Gal, la couverture de fourrure.

Le Valet, *navré*—Mon Seigneur aura froid la nuit.

Becket—Fais ce que je te dis.

> *Le premier valet, à regret, prend la couverture de fourrure et la met dans le coffre.*

Becket *demande*—L'intendant est prévenu pour le repas de ce soir? Quarante couverts dans la grande salle.

Premier Valet—Mon Seigneur, il dit qu'il n'aura pas assez de vaisselle d'or. Devra-t-on mélanger avec la vaisselle d'argent?

BECKET—Qu'il fasse dresser le couvert avec les écuelles de bois et de terre de l'office. La vaisselle est vendue. On la fera prendre avant ce soir.

PREMIER VALET *répète sidéré*—Les écuelles de bois et de terre. Bien, mon Seigneur. L'intendant s'inquiète aussi pour la liste des invitations. Il n'a que trois courriers et il a peur de ne pas avoir le temps...

BECKET—Il n'y a pas d'invitation. On ouvrira la grande porte à deux battants et vous irez dire aux pauvres, dans la rue, qu'ils mangent avec moi ce soir.

PREMIER VALET, *épouvanté*—Bien, mon Seigneur.

Il va sortir avec l'autre. Becket le rappelle.

BECKET—Je veux que le service soit impeccable. Les plats présentés d'abord, avec tout le cérémonial, comme pour des princes. Va. *(Les valets sortent. Becket, resté seul, soulève négligemment un vêtement qui dépasse du coffre. Il murmure:)* Tout cela était vraiment très joli. *(Il referme soudain le coffre et éclate de rire.)* Une pointe d'orgueil. Quelque chose d'un parvenu. Un vrai saint homme n'aurait pas fait tout cela en un jour; personne ne croira que c'est vrai. *(Il dit très simplement à un crucifix enchâssé de pierreries qui est accroché au-dessus du lit:)* J'espère, Seigneur, que vous ne m'inspirez pas toutes ces saintes résolutions dans le but de me rendre ridicule? Tout est encore si nouveau. J'exécute peut-être maladroitement... *(Il regarde le crucifix et le décroche soudain:)* Vous êtes beaucoup trop riche, vous aussi. Des pierres précieuses autour de votre corps saignant. Je vous donnerai à une pauvre église. *(Il pose le crucifix sur le coffre fermé. Il regarde autour de lui, léger, heureux, il murmure:)* C'est un départ en voyage. Pardonnez-moi, Seigneur, mais je ne me suis jamais autant amusé. Je ne crois pas que vous soyez un Dieu triste. Ma joie de me dépouiller doit faire partie de vos desseins. *(Il est passé derrière le rideau de l'arrière-chambre où on l'entend, la scène restée vide, siffler joyeusement une vieille marche anglaise. Très vite, il ressort; il est pieds nus dans des sandales; il est vêtu d'une*

robe de moine, une simple bure. Il tire le rideau, il murmure:)
Voilà. Adieu, Becket. J'aurais voulu au moins regretter quelque
chose pour vous l'offrir. *(Il va au crucifix et dit simplement:)*
Seigneur, vous êtes sûr que vous ne me tentez pas? Cela me
parait trop simple. *(Il est tombé à genoux et prie.)*

Le rideau tombe.

TROISIÈME ACTE

Une salle du palais du roi. En scène les deux reines, la reine mère et la jeune reine, occupées à des tapisseries. Les deux fils du roi, un grand et un petit, jouent par terre dans un coin. Le roi joue au bilboquet dans un autre coin. Il rate toujours; il finit par jeter le bilboquet et s'exclame, avec humeur:

LE ROI—Quarante pauvres! Il a invité quarante pauvres à dîner!

LA REINE MÈRE—C'est un extravagant. Je vous ai toujours dit, mon fils, que vous aviez mal placé votre confiance.

LE ROI, *marchant dans la salle*—Madame, je suis très dur à placer, comme vous dites, ma confiance. Je ne l'ai fait qu'une fois dans ma vie et je demeure persuadé que je ne me suis pas trompé. Seulement, nous ne comprenons pas tout! Thomas est mille fois plus intelligent que nous tous réunis.

LA REINE MÈRE—Vous parlez de personnes royales, mon fils...

LE ROI *grommelle*—Ça n'empêche rien. L'intelligence a été distribuée tout autrement. Ces quarante pauvres, cela doit correspondre à quelque chose dans son esprit. A quoi? Nous le saurons bientôt. Je l'ai convoqué ce matin!

LA JEUNE REINE—Il paraît qu'il a vendu sa vaisselle d'or, ses

coffres et tous ses riches habits. Il s'est vêtu d'une simple robe
de bure.

La Reine Mère—Je vois là pour le moins une marque d'ostentation!
On devient, certes, un saint homme, mais pas en un jour.

Le Roi, *inquiet au fond*—Ça doit être une farce! Vous ne le con-
naissez pas. Ce ne peut être qu'une farce. Il a toujours été
farceur. Une fois, il s'est déguisé en femme et il s'est promené
toute une nuit dans Londres en minaudant, à mon bras.

La Reine Mère, *après un silence*—Je n'ai jamais aimé cet homme.
Et vous avez été un fou de le faire si puissant.

Le Roi *crie*—C'est mon ami!

La Reine Mère, *aigre*—Hélas!

La Jeune Reine—C'est l'ami de vos débauches! C'est lui qui vous
a éloigné de vos devoirs envers moi. C'est lui qui vous a conduit le premier chez des filles!

Le Roi, *furieux*—Fichaises,[1] Madame! Je n'ai eu besoin de personne pour m'éloigner, comme vous dites, de mes devoirs envers
vous. Je vous ai fait trois enfants, avec beaucoup de scru-
pule. Ouf! Mon devoir m'est remis.[2]

La Jeune Reine, *pincée*—Quand ce débauché cessera d'avoir une
néfaste influence sur vous, vous reviendrez apprécier les joies
de votre famille. Souhaitons qu'il vous désobéisse!

Le Roi—Les joies de ma famille sont limitées, Madame. Pour être
franc, je m'ennuie avec vous! Vos éternelles médisances à toutes
deux; au-dessus de vos éternelles tapisseries... Ce n'est pas
une nourriture pour un homme. *(Il erre dans la pièce furieux.
Il s'arrête derrière elles.)* Si au moins cela avait quelque valeur
artistique. Mon aïeule Mathilde, en attendant son époux,
pendant qu'il taillait son royaume, a brodé, elle, un chef-
d'œuvre qui est malheureusement resté à Bayeux.[3] Mais vous,
c'est d'un médiocre!

[1] **Fichaises!** Rot!
[2] **Mon devoir m'est remis** = **J'ai fait mon devoir**
[3] **Bayeux** *city in Normandy noted for its twelfth-century cathedral and
tapestry representing the Norman Conquest*

LA JEUNE REINE, *pincée*—A chacun selon ses dons.

LE ROI—Oui. Et ils sont minces! *(Il va encore regarder l'heure à la fenêtre et s'exclame désespéré:)* Je m'ennuie depuis un mois, personne à qui parler! Après la nomination, je ne veux pas avoir l'air de me précipiter... Bon. Je lui laisse faire sa tournée pastorale. Il revient enfin, je l'appelle et il est en retard! *(Il regarde encore à la fenêtre et s'exclame:)* Ah! quelqu'un au poste de garde! *(Il revient déçu.)* Non. C'est un moine. *(Il erre dans la pièce désemparé, il va aux enfants, ennuyé et les regarde jouer un instant. Il grommelle:)* Charmants bambins! Graine d'homme. Déjà sournoise et obtuse. Dire qu'il faut s'attendrir là-dessus, sous prétexte que ce n'est pas encore tout à fait assez gros pour être haï ou méprisé. Lequel de vous deux est l'aîné?

LE PLUS GRAND *se lève*—Moi, Monsieur.

LE ROI—Quel est votre nom, déjà?

LE GARÇON—Henri III.

LE ROI, *sévère*—Pas encore, Monsieur! Le numéro deux se porte bien. *(Il lance à la reine:)* Jolie éducation, Madame! Vous vous croyez déjà Régente. Et vous vous étonnez après que je boude votre appartement? Je n'aime pas faire l'amour avec ma veuve. C'est mon droit?

Un officier entre.

L'OFFICIER—Un messager de l'Archevêque-primat, mon Seigneur.

LE ROI, *hors de lui*—Un messager! Un messager! J'ai convoqué l'Archevêque-primat en personne! *(Il se retourne vers les femmes, soudain inquiet, presque touchant.)* Il est peut-être malade? Ça expliquerait tout!

LA JEUNE REINE, *aigre*—Ce serait trop beau!

LE ROI, *rageur*—Vous voudriez le voir crevé, parce qu'il m'aime, femelles? S'il n'est pas là, c'est qu'il est à la mort. O mon Thomas! Fais entrer, vite.

L'officier sort et introduit un moine.

LE ROI *va à lui, vivement*—Qui es-tu? Becket est malade?

LE MOINE, *un genou à terre*—Seigneur, je suis Guillaume, fils d'Etienne, secrétaire de Sa Seigneurie l'Archevêque-primat.

LE ROI—Ton maître est très mal?

LE MOINE—Non, Seigneur. Sa Seigneurie se porte bien. Elle m'a chargé, avec l'expression de son profond respect, de remettre cette missive—et ceci à Votre Altesse.

> *Il remet quelque chose au roi, s'inclinant plus bas.*

LE ROI, *comme abasourdi*—Le sceau? Pourquoi me renvoie-t-il le sceau? *(Il lit la lettre en silence sur le parchemin déroulé. Il se ferme. Il est de glace, il dit au moine sans le remercier:)* C'est bien. Ta mission est accomplie. Va.

> *Le moine se relève au moment de sortir, il demande:*

LE MOINE—Ai-je une réponse de Votre Altesse à transmettre à Monseigneur l'Archevêque-primat?

LE ROI, *dur*—Non.

> *Le moine est sorti. Le roi reste un moment désemparé, puis il va se jeter sombre sur son trône. Les femmes se regardent, complices. La reine mère se lève et va à lui insidieuse.*

LA REINE MÈRE—Eh bien, mon fils, que vous écrit donc votre ami?

LE ROI *se dresse et hurle*—Sortez! Sortez toutes les deux! Et emmenez votre vermine royale! Je suis seul! *(Les deux reines effrayées sortent avec les enfants. Le roi reste un moment titubant, comme hébété sous le coup puis il s'écroule sanglotant comme un enfant, la tête sur son trône. Il gémit.)* O mon Thomas! *(Un instant prostré il se ressaisit, se relève pâle. Il dit soudain les dents serrées, en regardant le sceau qu'il a gardé dans son poing serré:)* Tu me renvoies les trois lions du royaume, comme un petit garçon qui ne veut plus jouer avec moi... Tu crois que tu as l'honneur de Dieu à défendre maintenant! Moi, j'aurais fait une guerre avec toute l'Angleterre derrière moi et contre l'intérêt de l'Angleterre pour te défendre, petit Saxon. Moi, j'aurais donné l'honneur du royaume en riant pour toi. Seulement, moi, je t'aimais et toi tu ne m'aimais pas; voilà toute la différence. *(Il a les dents serrées. Son masque se durcit, il dit sourdement:)* Merci tout de même pour ce dernier cadeau que tu me fais en m'abandonnant. Je vais apprendre à être seul. *(Il sort. La lumière baisse, des valets enlèvent les meubles. Quand elle remonte, le décor de piliers est vide. Une église nue, un homme à demi dissimulé sous un manteau sombre, qui attend derrière un pilier, c'est le roi. Derniers accords d'orgue. Entre Gilbert Folliot, évêque de Londres, suivi de son clergé. Il revient de dire sa messe. Le roi l'aborde.)* Evêque...

GILBERT FOLLIOT *a un recul*—Que veux-tu, l'homme? *(Son clergé va s'interposer, il s'exclame:)* Le roi!

LE ROI—Oui.

GILBERT FOLLIOT—Seul, sans escorte, en habit d'écuyer?

LE ROI—Le roi tout de même. Evêque, je voudrais me confesser.

GILBERT FOLLIOT *a un mouvement de méfiance*—Je suis l'évêque de Londres, le roi a son confesseur. C'est une charge importante de la Cour qui a ses prérogatives.

LE ROI—Le choix du prêtre pour la sainte confession est libre, Evêque, même pour les rois! *(Gilbert Folliot fait un signe à son clergé qui s'éloigne.)* Ma confession sera d'ailleurs courte, et ce n'est pas l'absolution que je viens vous demander. J'ai fait quelque chose de beaucoup plus grave qu'un péché, Evêque, une bêtise. *(Gilbert Folliot reste muet.)* J'ai imposé Thomas Becket à votre choix au concile de Clarendon.[4] Je m'en repens.

---

[4] **le concile de Clarendon** *council at which Henry II in 1164 promulgated the Constitution of Clarendon, which prohibited usurpation of power by the clergy*

GILBERT FOLLIOT, *impénétrable*—Nous nous sommes inclinés devant la main royale.

LE ROI—A contrecœur, je le sais. Il m'a fallu treize semaines d'autorité et de patience pour réduire la petite opposition irréductible dont vous étiez le chef, Evêque. Le jour du concile, vous étiez vert. On m'a dit qu'après, vous avez été gravement malade.

GILBERT FOLLIOT, *fermé*—Dieu m'a guéri.

LE ROI—Il est bien bon. Mais il a un peu tendance à ne s'occuper que des siens. Moi, il m'a laissé malade. Et je dois me soigner tout seul, sans intervention divine. J'ai l'Archevêque-primat sur l'estomac.[5] Un gros morceau, qu'il faut que je vomisse. Que pense de lui le clergé normand?

GILBERT FOLLIOT, *réservé*—Sa Seigneurie semble avoir saisi d'une main ferme les rênes de l'Eglise d'Angleterre. Ceux qui l'approchent dans son particulier disent même qu'il se conduit comme un saint homme.

LE ROI *s'exclame, admiratif malgré lui*—C'est un peu subit, mais rien ne m'étonne de lui! Dieu sait ce dont cet animal-là est capable, en bien comme en mal. Evêque, parlons franc: cela intéresse beaucoup l'Eglise, les saints hommes?

GILBERT FOLLIOT *a l'ombre d'un sourire*—L'Eglise est sage depuis si longtemps, Altesse, qu'elle ne peut pas ne pas avoir constaté que la tentation de la sainteté était pour ses prêtres l'un des pièges les plus subtils et les plus redoutables du démon. L'administration du royaume des âmes, avec les incidences temporelles qu'elle comporte, demande avant tout, comme toutes les administrations, des administrateurs. L'Eglise catholique romaine a ses saints, elle invoque leur bienveillante intercession, elle les prie. Mais elle n'a plus besoin d'en faire d'autres. C'est superflu. Et dangereux.

LE ROI—Vous me paraissez un homme avec qui on peut parler, Evêque. Je vous ai méconnu. L'amitié m'aveuglait.

---

[5] **J'ai l'Archevêque-primat sur l'estomac.** I haven't digested the Archbishop Primate.

GILBERT FOLLIOT, *toujours fermé*—L'amitié est une belle chose.

LE ROI, *soudain humain*—C'est une bête familière, vivante et tendre. Elle ne semble n'avoir que deux yeux toujours posés sur vous et qui vous réchauffent. On ne voit pas ses dents. Mais c'est une bête qui a une particularité curieuse, c'est quand elle est morte qu'elle mord.

GILBERT FOLLIOT, *prudent*—L'amitié du roi pour Thomas Becket est morte, Altesse?

LE ROI—Soudainement, Evêque. Une sorte d'arrêt du cœur.

GILBERT FOLLIOT—C'est un phénomène curieux, Altesse, mais fréquent.

LE ROI *lui prend soudain le bras*—Je hais Becket, Evêque, maintenant. Entre cet homme et moi, il n'y a plus rien de commun que cette bête qui me laboure le ventre.[6] Je n'en puis plus. Il faut que je la lâche sur lui. Mais je suis le roi, ce qu'il est convenu d'appeler ma grandeur m'embarrasse: j'ai besoin de quelqu'un.

GILBERT FOLLIOT *se raidit*—Je ne veux servir que l'Eglise.

LE ROI—Parlons comme deux grands garçons. C'est bras dessus, bras dessous que nous avons conquis, pillé, rançonné l'Angleterre. On se dispute, on essaie de se soutirer quelques sous, mais entre le ciel et la terre il y a tout de même des intérêts communs. Vous savez ce que je viens d'obtenir du Pape? Sa bénédiction pour aller égorger l'Irlande catholique, au nom de la foi. Oui, une sorte de croisade pour y imposer un clergé et des barons normands, épées et étendards solennellement bénits comme si on allait bouffer du Turc![7] Seule condition: une petite pièce d'argent par foyer et par an, pour le denier de Saint-Pierre[8] que le clergé national irlandais hésitait à cracher et que moi j'ai promis de faire verser. C'est donné. Mais au bout de l'an, cela fera une coquette somme. Rome sait faire ses comptes!

[6] **me laboure le ventre**   is gnawing at my belly
[7] **bouffer du Turc**   to eat the Turks (*i.e. to go on a Crusade against the Turks*)
[8] **le denier de Saint-Pierre**   Peter's Pence (*a voluntary offering to the Pope by the faithful*)

GILBERT FOLLIOT, *épouvanté*—Il y a des choses qu'il ne faut jamais dire, Altesse, il faut même essayer de ne pas les savoir tant qu'on n'en est pas directement chargé.

LE ROI *sourit*—Nous sommes seuls, Evêque, et l'église est vide.

GILBERT FOLLIOT—L'église n'est jamais vide. Une petite lampe rouge brûle devant le maître-autel.

LE ROI, *impatienté*—Evêque, j'aime bien jouer, mais avec des garçons de mon âge! Vous ne me prenez pas pour une de vos brebis, saint pasteur? Celui qu'honore cette petite lampe rouge a lu depuis longtemps au fond de vous et de moi. Sur votre cupidité et sur ma haine, il est fixé. *(Gilbert Folliot se referme. Le roi lui crie, agacé:)* Ou alors il faut se faire moine, Evêque! le cilice sur le dos nu et aller se cacher dans un couvent pour prier!... L'évêché de Londres, pour un fils de marinier de la Tamise [9] qui aurait le cœur pur, c'est trop, ou trop peu.

GILBERT FOLLIOT, *de marbre, après un temps*—Si je fais abstraction, comme c'est mon devoir, de mes sentiments personnels, je dois convenir que jusqu'ici, Sa Seigneurie l'Archevêque-primat n'a rien fait qui ne soit dans l'intérêt de sa mère l'Eglise.

LE ROI *le considère et conclut jovial*—Vous, mon petit ami, je vous vois venir: [10] vous avez l'intention de me coûter très cher! Mais grâce à Becket qui a réussi à vous faire payer la taxe d'absence, je suis riche. Et il me paraît somme toute moral qu'une partie de l'or de l'Eglise, par votre canal, retourne à l'Eglise. Et puis si nous voulons rester sur le terrain de la moralité, saint évêque, vous pouvez vous dire aussi que la grandeur de l'Eglise et celle de l'Etat étant intimement liées, c'est en définitive à la consolidation de la foi catholique que vous travaillerez en me servant.

GILBERT FOLLIOT *le contemple curieusement*—J'avais toujours pris Votre Altesse pour un gros garçon brutal, mal sorti de l'adolescence et seulement soucieux de son plaisir.

[9] **la Tamise** Thames River
[10] **je vous vois venir** I see what you're driving at

LE ROI—On se trompe quelquefois sur les hommes, Evêque. Moi aussi, je me suis trompé. *(Il crie soudain:)* O mon Thomas!

GILBERT FOLLIOT *s'écrie*—Vous l'aimez, Altesse! Vous l'aimez encore. Vous aimez ce porc mitré, cet imposteur, ce bâtard saxon, ce petit voyou!

LE ROI *lui saute dessus, criant*—Qui, je l'aime! Mais ça ne te regarde pas, curé. Je ne t'ai confié que ma haine. Je vais te payer pour m'en défaire, mais ne me dis jamais du mal de lui! Ou ce sera une affaire d'hommes entre nous! [11]

GILBERT FOLLIOT, *suffoquant, gémit*—Vous m'étranglez, Altesse.

LE ROI *le lâche soudain et conclut sur un autre ton*—Nous nous reverrons demain, seigneur évêque, et nous arrêterons ensemble le détail de notre action. Vous serez convoqué officiellement au palais sous un prétexte—mes bonnes œuvres dans votre diocèse de Londres où je suis votre principal paroissien. Mais ce n'est pas des pauvres que nous parlerons. Ils ont le temps les pauvres. Le royaume qu'ils espèrent, eux, est éternel.

> *Le roi sort.*
> *Gilbert Folliot est resté immobile. Son clergé le rejoint timidement. Il prend sa crosse et sort dignement, en procession, non sans qu'un de ses chanoines ne lui ait remis discrètement droite sa mitre, qui était restée de travers après la lutte.*
> *Ils sont sortis. Un changement d'éclairage et de rideaux entre les piliers. C'est un matin au palais épiscopal. Entre un prêtre qui conduit deux moines et le petit moine convers du couvent de Hastings.*

LE PRÊTRE—Sa Seigneurie va vous recevoir ici.

> *Les deux moines sont impressionnés, ils bousculent un peu le petit moine.*

[11] **Ou ce sera une affaire d'hommes entre nous** Or we'll have it out man to man

PREMIER MOINE—Tiens-toi droit. Baise l'anneau de Monseigneur et tâche de répondre humblement à ses questions ou gare à tes fesses.

DEUXIÈME MOINE—Tu croyais peut-être qu'il t'avait oublié? Les grands n'oublient rien. On va voir si tu vas faire le fier avec lui.

Entre Becket vêtu d'une simple bure.

BECKET—Eh bien, mes frères, il fait beau à Hastings?

Il leur donne son anneau à baiser.

PREMIER MOINE—Le brouillard, Monseigneur.

BECKET *sourit*—Alors, il fait beau à Hastings. Nous songeons toujours tendrement à notre Abbaye et notre intention est d'aller bientôt la visiter, quand nos nouvelles fonctions nous laisseront un instant de répit. Comment s'est conduit ce jeune homme? Il a donné du fil à retordre [12] à notre Abbé?

DEUXIÈME MOINE—Monseigneur, une vraie mule. Notre Père abbé a longtemps essayé la douceur, comme vous le lui aviez recommandé, puis il fallut bien vite recourir au cachot, au pain sec et même à la discipline. Rien n'y fait. Cette tête de bois reste la même: l'insulte aux lèvres. Il est tombé dans le péché d'orgueil. Il n'est pas de main secourable qui le tirera de là.

PREMIER MOINE—Seuls des coups de pieds aux fesses peut-être... si Votre Seigneurie me permet l'expression. *(Au petit:)* Tiens-toi droit.

BECKET, *au petit*—Ecoute ton frère. Tiens-toi droit. D'habitude le péché d'orgueil redresse. Regarde-moi en face. *(Le petit le regarde.)* Bien. *(Becket se retourne vers les moines après avoir regardé un temps le petit.)* On va vous conduire aux cuisines où vous vous restaurerez avant de repartir, mes frères. On a l'ordre de vous traiter bien. Ne nous faites pas d'affront, nous

---

[12] **a donné du fil à retordre**   was a nuisance

vous relevons pour aujourd'hui de votre vœu d'abstinence et nous comptons bien que vous ferez honneur à votre menu. Saluez en Jésus votre Père abbé de notre part.

DEUXIÈME MOINE, *hésitant*—Et le gamin?

BECKET—Nous le gardons.

DEUXIÈME MOINE—Que Monseigneur se méfie. Il est mauvais.

BECKET *sourit*—Nous n'avons pas peur. (*Les moines sont sortis. Becket et le petit restent seuls face à face.*) Pourquoi te tiens-tu si mal?

LE PETIT MOINE—Je ne veux plus regarder personne en face.

BECKET—Je t'apprendrai. Ce sera notre première leçon. Regarde-moi (*Le petit le regarde de côté.*) Mieux que ça (*Le petit le regarde.*) Tu es toujours chargé tout seul de toute la honte de l'Angleterre et c'est elle qui te courbe le dos?

LE PETIT MOINE—Oui.

BECKET—Si je t'en prenais la moitié, ça serait moins lourd? (*Il fait un signe au prêtre.*) Introduisez Leurs Seigneuries. (*Le prêtre sort. Il confie en souriant au petit:*) C'est l'heure de mon conseil avec messeigneurs les évêques: tu vas voir que ce n'est pas un privilège qui t'est réservé d'être seul.

LE PETIT MOINE—Je sais à peine lire et écrire. Je suis un fils de paysan, et je me suis fait tonsurer pour fuir la glèbe. En quoi puis-je vous servir?

BECKET *sourit*—J'ai besoin de toi. Cela doit te suffire. Je te demande seulement de me regarder comme tu me regardes en ce moment. Il y en a qui portent un cilice pour se rappeler constamment ce que vaut leur guenille... (*Il entrouvre son froc, souriant.*) J'en ai un d'ailleurs. Mais c'est dérisoire vos épreuves, je m'y suis déjà habitué. Je crois simplement que je m'enrhumerais si je le quittais. J'ai besoin d'autre chose qui me gratte et qui me dise à chaque instant ce que je suis. J'ai besoin de toi, petit chardon, qu'on ne sait par quel bout prendre. J'ai besoin de me piquer à toi pour trouver quelques épines sur le chemin du bien, sinon je serais capable d'y trouver encore mon plaisir... *(Les évêques entrent, il le prend par le bras, l'installe dans un coin.)* Reste dans ce coin et tiens mes tablettes. Je ne te demande qu'une chose. Ne leur saute pas dessus, tu compliquerais tout.

Il fait un signe aux évêques qui restent debout.

GILBERT FOLLIOT *commence*—Monseigneur, notre conseil risque d'être sans objet. Vous avez voulu, contre nos avis, attaquer le roi de front. Avant même que les trois excommunications que vous vouliez nous demander de sanctionner aient pu être rendues publiques le roi riposte. Son grand justicier [13], Richard de Lacy, vient de se présenter dans votre antichambre vous réclamant au nom du roi. Il est porteur d'une sommation dans les formes légales à comparaître dans le délai d'un jour devant son grand conseil réuni en Cour de Justice.

BECKET—De quoi m'accuse le roi?

GILBERT FOLLIOT—De prévarication. Comptes examinés par son conseil privé, Son Altesse vous réclame une somme considérable due encore sur votre gestion du Trésor.

BECKET—J'ai remis en quittant la chancellerie mes registres à son grand justicier qui m'en a donné quittance, me déclarant quitte de tout compte et de toute réclamation. Que réclame le roi?

L'ÉVÊQUE D'OXFORD—Quarante mille marcs d'or fin.

BECKET *sourit*—Je crois bien qu'il n'y a jamais eu tant d'argent dans tous les coffres de toute l'Angleterre pendant tout le temps où j'ai été chancelier. Mais il suffit d'un scribe habile... Le roi a refermé son poing et je suis comme une mouche dans son poing. *(Il sourit, les regardant.)* J'ai l'impression, messieurs, que vous devez ressentir quelque chose qui ressemble à du soulagement.

L'ÉVÊQUE D'YORK—Nous vous avions déconseillé la lutte ouverte.

BECKET—Guillaume d'Aynesford poussé par le roi, sous le prétexte

[13] **justicier** chief political and judicial officer under the Norman and early Plantagenêt kings

qu'il désapprouvait mon choix, a assommé le prêtre que j'avais nommé à la cure de Sa Seigneurie. Dois-je laisser assommer mes prêtres?

GILBERT FOLLIOT—Vous n'aviez pas à nommer le curé d'un fief libre! Il n'est pas un Normand, laïc ou clerc, qui admettra jamais cela. Ce serait remettre le droit de toute la conquête en cause. Tout peut être remis en question en Angleterre hormis le fait qu'elle a été conquise et partagée en l'an mille soixante-six. L'Angleterre est le pays du droit et du respect le plus scrupuleux du droit. Mais le droit ne commence qu'à cette date, sinon, il n'y a plus d'Angleterre.

BECKET—Evêque, dois-je vous rappeler que nous sommes des hommes de Dieu et que nous avons à défendre un honneur qui, lui, n'a pas de date?

L'ÉVÊQUE D'OXFORD, *doucement*—C'était une maladresse et même une provocation. Guillaume d'Aynesford est un compagnon du roi.

BECKET *sourit*—Je le connais très bien. Il est charmant. J'ai vidé plus d'un pot avec lui.

L'ÉVÊQUE D'YORK *glapit*—Et je suis le petit cousin de sa femme!

BECKET—C'est un détail que je déplore, Seigneur Evêque, mais il m'a assommé un curé. Si je ne défends pas mes prêtres, qui les défendra? Guillaume de Clare a cité devant sa justice un clerc qui relevait de notre seule juridiction.

L'ÉVÊQUE D'YORK—Une intéressante victime vraiment! Et qui valait la peine de se battre! L'homme était accusé de meurtre et de viol. N'était-il pas plus habile de laisser pendre le misérable qui méritait cent fois la corde et d'avoir la paix?

BECKET—«Je ne suis pas venu pour apporter la paix mais la guerre.» Votre Seigneurie a certainement lu ça quelque part? Il m'est indifférent de savoir de quoi cet homme était accusé. Si je laisse juger mes prêtres par un tribunal séculier, si je laisse Robert de Vere enlever, comme il vient de le faire dans un de nos couvents, un de nos clercs tonsurés sous le prétexte que c'est un de ses serfs qui a fui la glèbe, je ne donne pas cher de [14] notre liberté et de notre existence, Messeigneurs, dans cinq ans. J'ai excommunié Gilbert de Clare, Robert de Vere et Guillaume d'Aynesford. Le royaume de Dieu se défend comme les autres royaumes. Vous croyez que le droit n'a qu'à paraître et qu'il obtient tout sur sa bonne mine? Sans la force, sa vieille ennemie, il n'est plus rien.

L'ÉVÊQUE D'YORK—Quelle force? Ne nous payons pas de mots.[15] Le roi est la force et il est la loi!

BECKET—Il est la loi écrite, mais il est une autre loi, non écrite, qui finit toujours par courber la tête des rois. *(Il les regarde un instant en silence, souriant.)* J'étais un débauché, messieurs, peut-être un libertin, un homme de ce monde en tout cas. J'adorais vivre et je me moquais de tout cela, mais alors, il ne fallait pas me remettre le fardeau. J'en suis chargé maintenant, j'ai retroussé mes manches et on ne me fera plus lâcher.

GILBERT FOLLIOT *s'est dressé, écumant de rage, il va à lui*—Vous savez à quoi elle sert, en vérité, cette application stricte de la juridiction ecclésiastique? A voler—je dis bien, à voler—les serfs saxons à leur seigneur. N'importe quel fils de paysan natif, grâce à cette loi, se dérobe à la glèbe en se faisant tonsurer. Deux coups de ciseau, un orémus et voilà le seigneur frustré d'un de ses hommes, sans aucun recours pour le reprendre; il ne dépend plus de sa juridiction ni de celle du roi. Est-ce justice ou tour de passe-passe? La propriété aussi, n'est-elle pas sacrée? Si on leur dérobait un bœuf, empêcheriez-vous les propriétaires de se plaindre et de tenter de le récupérer?

BECKET *sourit*—Evêque, votre vigueur à défendre les grands propriétaires normands est admirable. D'autant plus que je crois bien que vous n'en êtes pas issu. Vous oubliez pourtant un point—un point qui a son importance pour un prêtre— c'est qu'un serf saxon a une âme, une âme qui peut être appelée à Dieu, pas un bœuf.

GILBERT FOLLIOT, *hors de lui*—Ne vous faites pas plus petit garçon que vous n'êtes, Thomas Becket. Vous avez assez longtemps —malgré vos origines—, vous aussi, profité de cet état de

---

[14] **je ne donne pas cher de** I shall not be able to answer for
[15] **Ne nous payons pas de mots.** Let's not quibble over words.

choses, pour mettre un peu plus de pudeur maintenant à l'attaquer. Qui touche à la propriété anglaise touche au Royaume. Et qui touche au Royaume, en fin de compte, touche à l'Eglise et à la Foi! Il faut rendre à César...

BECKET, *le coupant*—... Ce qui lui appartient, Evêque, mais quand il veut prendre autre chose, il faut retrousser sa soutane et lutter contre César avec les armes de César. Je sais aussi bien que vous que dans la plupart des cas les serfs qui se réfugient dans nos couvents ne songent qu'à échapper à leur esclavage. Mais je remettrais tout en cause, la sécurité de l'Eglise tout entière et ma vie même si, sur cent mille qui trichent, il y a un seul petit serf saxon sincère qu'on a empêché de venir à Dieu.

> *Un silence suit cet éclat. Gilbert Folliot a un sourire.*

GILBERT FOLLIOT—L'allusion à la brebis égarée obtient toujours son petit succès. Il est toujours possible de faire de belles phrases, Moneigneur, sur un sujet attendrissant. La politique est une autre chose. Vous avez prouvé que vous le saviez parfaitement.

BECKET, *sec*—Je vous l'ai prouvé quand je faisais de la politique. Ce n'est plus de la politique que je fais.

L'ÉVÊQUE D'OXFORD, *doucement*—Il me parait pourtant sage et à la mesure des choses humaines dans ce grand royaume terrestre dont l'équilibre est si difficile à maintenir—et dont nous sommes un des piliers—de ne pas opposer notre veto formel au consentement du seigneur quand un serf veut être d'Eglise. L'Eglise a le devoir de lutter pied à pied pour défendre ses appelés, certes, mais elle ne doit jamais et sous aucun prétexte cesser d'être sage. C'est un très vieux prêtre qui vous le dit.

BECKET, *doucement*—Je n'ai pas été sage en acceptant la primatie. Je n'ai plus maintenant le droit d'être sage, du moins comme vous l'entendez. Je remercie Vos Seigneuries, le conseil est levé et ma décision est prise. Je maintiendrai ces trois excommunications. *(Il a fait un signe au prêtre.)* Introduisez le grand justicier. *(Deux gardes entrent précédant Richard de Lacy et son héraut. Becket va à lui, souriant.*) Richard de Lacy, nous avons été de bons compagnons autrefois et vous trouviez toujours le sermon un peu long quand c'était l'heure d'aller dîner. Je vous saurai gré de m'épargner le vôtre. La lecture de cette citation est de règle, mais telle que je nous connais, elle nous ennuierait tous deux. Je répondrai à la sommation du roi.

> *Les tentures se ferment, des sonneries de trompettes lointaines, le roi apparaît—surgi des tentures—regardant quelque chose par la fente du rideau. Un temps. Puis Gilbert Folliot entre soudain.*

LE ROI—Alors? Je suis mal placé. Je ne vois rien.

GILBERT FOLLIOT—La procédure suit son cours, Altesse. La troisième sommation est faite. Il n'est pas là. Il sera dans un instant condamné par défaut. La forfaiture établie, notre doyen, l'Evêque de Chischester, ira au-devant de lui et lui signifiera, suivant les termes de l'ancienne Charte de l'Eglise d'Angleterre, notre désaveu de corps nous déliant de l'obéissance envers lui et le citant devant Notre Seigneur le Pape. C'est alors que moi, Evêque de Londres, parlant en mon nom personnel, je m'avancerai et accuserai publiquement Becket, le nommant «ci-devant [16] Archevêque», lui déniant pour la première fois son titre, d'avoir célébré, en mépris du roi, une messe sacrilège sous l'évocation de l'esprit malin.

LE ROI, *inquiet*—Ce n'est pas un peu gros?

GILBERT FOLLIOT—Si. Personne n'est dupe, mais cela réussit toujours. Nous ne nous faisons pas d'illusion sur le résultat de ce point de détail, mais dans cette position d'infériorité où il se trouvera placé, par cette accusation formelle, suivant immédiatement notre désaveu d'obéissance, Votre Altesse paraîtra alors en sa Cour par l'intermédiaire de son justicier ou en personne, ce qui serait mieux, et demandera à ses barons et à ses prélats siégeant de le délivrer du parjure. Tout peut être fini aujourd'hui. Votre Altesse a bien la formule? Je la ferai prévenir le moment venu.

---

[16] **ci-devant** formerly

Le Roi *tire un parchemin de sa poche*—«Oyez [17] tous ici présents, ma requête royale. Par la foi que vous nous devez, nous vous demandons justice contre Becket, ci-devant Archevêque, qui est mon homme lige [18] et qui, dûment sommé, refuse de répondre en ma Cour.» Je lis très mal.

Gilbert Folliot—Cela ne fait rien. Personne n'écoute jamais ce genre de proclamation. L'assemblée ira ensuite aux voix, par ordre et rendra une sentence d'emprisonnement. Elle est déjà rédigée.

Le Roi—A l'unanimité?

Gilbert Folliot—Nous sommes tous Normands. Le reste appartienda alors à Votre Altesse. Ce n'est plus que de l'exécution.

Le Roi, *soudain il a comme une faiblesse*—O mon Thomas!

Gilbert Folliot, *de marbre*—Je puis encore arrêter la machine, Altesse.

Le Roi *a comme une hésitation, puis il dit:*—Non. Va.

> *Gilbert Folliot sort. Le roi se remet à son poste derrière le rideau.*
> *Les deux reines se faufilent dans la salle et viennent regarder aussi par la fente du rideau près du roi. Au bout d'un moment la jeune reine demande:*

La Jeune Reine—Il est perdu?

Le Roi, *sourdement*—Oui.

La Jeune Reine—Enfin!

> *Le roi se dégage du rideau et la dévisage, haineux.*

Le Roi *crie*—Je vous défends de vous réjouir!

La Jeune Reine—De voir périr votre ennemi!

Le Roi, *écumant*—Becket est mon ennemi, mais dans la balance des êtres, bâtard, nu, comme sa mère l'a fait, il pèse mille fois

[17] **Oyez** *second person plural of* ouïr (*archaic*) Hear ye
[18] **lige** liege (*entitled to service and allegiance of a vassal in feudal law*)

votre poids, Madame, avec votre couronne, tous vos joyaux et votre auguste père, pardessus le marché!... Becket m'attaque et il m'a trahi. Je suis obligé de me battre contre lui et de le briser mais, du moins, m'a-t-il donné, à pleines mains, tout ce qu'il y a d'un peu bon en moi. Et vous ne m'avez jamais rien donné que votre médiocrité pointilleuse, le souci éternel de votre petite personne étriquée et de vos prérogatives! C'est pourquoi je vous interdis de sourire, quand il meurt!

LA JEUNE REINE, *pincée*—Je vous ai donné ma jeunesse et vos enfants!

LE ROI *crie encore*—Je n'aime pas mes enfants! Quant à votre jeunesse, fleur desséchée, dès vos douze ans, entre les pages d'un missel, au sang blanchâtre, au parfum fade, allez! quittez-la sans regret. En vieillissant, la bigoterie et la méchanceté vous donneront peut-être du caractère. Votre ventre était un désert, Madame! où j'ai dû m'égarer solitaire, par devoir. Mais vous n'avez jamais été ma femme! Et Becket a été mon ami, plein de force, de générosité et de sang. *(Il est encore secoué par un sanglot et il crie:)* O mon Thomas!

LA REINE MÈRE *s'avance hautaine*—Et moi, mon fils, je ne vous ai, non plus, rien donné?

LE ROI *revient un peu à lui, il la toise et dit sourdement:*—La vie. Si. Merci, Madame. Mais après je ne vous ai jamais vue qu'entre deux portes, parée pour un bal, ou en couronne et en manteau d'hermine, dix minutes avant les cérémonies, où vous étiez bien obligée de m'avoir à vos côtés. J'ai été seul, toujours, personne ne m'a jamais aimé sur cette terre que Becket!

LA REINE MÈRE *crie, aigre*—Eh bien, rappelez-le! Absolvez-le! puisqu'il vous aime, et donnez-lui tout le pouvoir! Que faites-vous en ce moment?

LE ROI—Je réapprends à être seul, Madame, j'ai l'habitude. *(Entre un page haletant.)* Eh bien, où en est-on?

LE PAGE—Mon Seigneur, Thomas Becket est apparu au moment où on ne l'attendait plus, malade, tout pâle, en grand habit pontifical et portant lui-même la lourde croix d'argent. Il a traversé toute la salle sans que personne n'ose l'arrêter, et comme Robert, comte de Leicester, chargé de lui lire sa sentence commençait la formule consacrée, il l'a arrêté d'un geste, lui interdisant au nom de Dieu, de donner jugement contre lui, son Père spirituel—et en appelant au Souverain Pontife et le citant par-devers lui! Et puis il a retraversé la foule qui s'écartait muette. Il vient de repartir.

LE ROI *ne peut s'empêcher d'avoir un sourire et de crier joyeux:*—Bien joué, Thomas, tu marques le point! *(Il se reprend soudain confus et demande:)* Et mes barons?

LE PAGE—La main sur la garde de l'épée, ils criaient tous: «Traître! Parjure! Arrêtez-le! Misérable! Ecoute ton jugement!» Mais aucun n'a osé bouger, et toucher aux saints ornements.

LE ROI *rugit*—Les imbéciles! Je suis entouré d'imbéciles, et le seul homme intelligent de mon royaume est contre moi!

LE PAGE *achève*—Du seuil pourtant, il s'est retourné, les regardant froidement, tous agités, criant et impuissants et leur a dit qu'il n'y avait pas très longtemps encore, il aurait su répondre par les armes à leur défi, qu'il ne le pouvait plus, mais qu'il les priait de se rappeler ce temps-là.

LE ROI, *jubilant*—Tous! Il les avait tous! A la masse, à la lance, à l'épée!... Dans la lice,[19] ils tombaient comme des valets de cartes![20]

LE PAGE, *achevant*—Et son regard était si froid et si ironique, quoiqu'il ne tint que son bâton de pasteur, que, un à un, ils se sont tus. Alors, seulement, il s'est retourné et il est sorti. On dit qu'à son hôtel il a donné des ordres pour inviter tous les pauvres de la ville à souper ce soir.

LE ROI, *rassombri, demande encore*—Et l'évêque de Londres qui devait le réduire en poudre? Et mon agissant ami Gilbert Folliot?

LE PAGE—Il a eu une horrible crise de rage essayant en vain

---

[19] **la lice**   *a high fence of stakes enclosing the area in which medieval tournaments were held*
[20] **les valets de cartes**   jacks (*in a deck of cards*)

d'ameuter tout le monde, il a crié d'horribles injures et puis, finalement, il s'est évanoui. On le soigne.

> *Le roi est soudainement pris d'un rire joyeux, in-
> extinguible et, sous le regard des reines outrées, il
> s'écroule dans les bras de son page sans pouvoir
> reprendre son souffle et riant, riant...*

LE ROI—Ah! c'est trop drôle! C'est trop drôle!

LA REINE MÈRE, *froide, avant de sortir*—Vous rirez moins demain, mon fils. Si vous ne l'en empêchez pas, Becket gagnera cette nuit la côte, demandera asile au roi de France et il vous narguera de là-bas, impuni.

> *Le roi, resté seul, s'arrête de rire. Il sort soudain
> en courant.*
> *La lumière change. Un rideau s'ouvre. Nous sommes
> chez Louis, le roi de France. Il est assis au milieu
> de la salle, bien droit sur son trône. C'est un gros
> homme au regard fin.*

LE ROI LOUIS, *à ses barons*—Messieurs, nous sommes en France et merde pour [21] le roi d'Angleterre comme dit la chanson.

PREMIER BARON—Votre Majesté ne peut pas ne pas recevoir ses ambassadeurs extraordinaires.

LE ROI LOUIS—Ordinaires ou extraordinaires, je reçois tous les ambassadeurs. Je les recevrai. C'est mon métier.

PREMIER BARON—Voilà déjà plus d'une heure qu'ils attendent dans l'antichambre de Votre Majesté.

LE ROI LOUIS *a un geste*—Qu'ils attendent, c'est le leur! Un ambassadeur, c'est fait pour faire antichambre. Je sais ce qu'ils vont me demander.

DEUXIÈME BARON—L'extradition d'un sujet félon est une courtoisie qui se doit entre têtes couronnées.

---

[21] **merde pour** (*vulgar*) to hell with . . .

LE ROI LOUIS—Mon bon, les têtes couronnées jouent la comédie de la courtoisie; mais les pays, eux ne s'en doivent point. Mon droit à faire le courtois s'arrête à l'intérêt de la France. Et l'intérêt de la France est de faire toutes les difficultés possibles à l'Angleterre—qui, elle, ne s'en prive pas. Quand nous avons une bonne petite révolte dans le Midi,[22] les mutins que nous pendons ont toujours quelque pièce d'or à l'effigie de mon gracieux cousin [23] dans leur poche. L'Archevêque est un boulet au pied de Henri de Plantagenêt. Vive l'Archevêque! D'ailleurs, il m'est sympathique cet homme-là!

DEUXIÈME BARON—Mon gracieux souverain est le maître. Et tant que notre politique nous permettra de ne rien attendre du roi Henri...

LE ROI LOUIS—Pour l'instant, le durcissement est excellent. Rappelez-vous l'affaire de Montmirail. Nous n'avons signé la paix avec Henri que moyennant une clause de grâce, pleine et entière, pour les réfugiés bretons [24] et poitevins [25] qu'il nous demandait de lui rendre. Deux mois après ils avaient tous la tête tranchée. Ceci concernait mon honneur. Je n'étais pas assez fort, alors... J'ai dû feindre de ne pas avoir appris l'exécution de ces hommes... Et j'ai continué à prodiguer mes sourires à mon cousin d'Angleterre. Mais, Dieu merci, nos affaires vont mieux! Et, aujourd'hui, c'est lui qui a besoin de nous. Je vais donc me ressouvenir de mon honneur. Les rois sont de pauvres bougres qui n'ont le loisir d'être honnête homme qu'une fois sur deux. Faites entrer les ambassadeurs!

Le premier baron sort et revient avec Gilbert Folliot et le comte d'Arundel.

PREMIER BARON—Permettez-moi d'introduire, auprès de Votre Majesté, les deux envoyés extraordinaires de Son Altesse d'Angleterre: Sa Seigneurie l'Evêque de Londres et le comte d'Arundel.

[22] **le Midi**   the south of France
[23] *i.e., Henry de Plantagenêt*
[24] **bretons**   inhabitants of Brittany
[25] **poitevins**   inhabitants of Poitou or Poitiers

Le Roi Louis *a un geste amical au comte*—Milord, je vous salue!
Je regrette que, depuis si longtemps, les difficultés—heureusement aplanies aujourd'hui—entre nos deux royaumes nous
aient privé du plaisir de ces pacifiques rencontres entre nos
gentilshommes où votre valeur a tant de fois triomphé. Je n'ai
pas oublié votre étonnant exploit au dernier tournoi de Calais.
Vous avez conservé ce rude coup de lance?

Le Comte d'arundel *s'incline, flatté*—Je l'espère, Sire.

Le Roi Louis—Nous espérons, nous, que nos bonnes relations avec
votre gracieux maître nous permettront de l'apprécier sous peu
à l'occasion de fêtes prochaines... *(Gilbert Folliot a déroulé un
parchemin.)* Seigneur Evêque, je vois que vous avez une lettre
de votre maître pour nous. Nous vous écoutons.

Gilbert Folliot *s'incline encore et commence à lire*—«A mon
Seigneur et ami, Louis, roi des Français; Henri, roi d'Angleterre, duc de Normandie, duc d'Aquitaine [26] et comte d'Anjou.
Sachez que Thomas, ci-devant archevêque de Cantorbéry,
après un jugement public, rendu en ma Cour, par l'assemblée
plénière des barons de mon royaume, a été convaincu de fraude,
de parjure et de trahison envers moi. Qu'ensuite, il a fui mon
royaume comme un traître et à mauvaise intention. Je vous
prie donc instamment de ne point permettre que cet homme
chargé de crimes, ou qui que ce soit de ses adhérents, séjourne
sur vos terres, ni qu'aucun des vôtres prête à mon plus grand
ennemi secours, appui ou conseil. Car, je proteste que vos
ennemis ou ceux de votre royaume n'en recevraient aucun de
ma part ni de celle de mes gens. J'attends de vous que vous
m'assistiez dans la vengeance de mon honneur et dans la
punition de mon ennemi; comme vous aimeriez que je le fisse
moi-même pour vous, s'il en était besoin.»

> *La lecture achevée, il y a un silence. Gilbert Folliot
> s'inclinant très bas remet le parchemin au roi qui
> le roule négligemment et le tend à un de ses
> barons.*

[26] **Aquitaine, Anjou** *French provinces. Aquitania was brought as a dowry
to Henry II by his wife, Aliénor d'Aquitaine, in 1152.*

LE ROI LOUIS—Messieurs, nous avons écouté attentivement la requête de notre gracieux cousin et nous en prenons bonne note. Notre chancellerie rédigera une réponse que nous vous ferons remettre demain. Nous ne pouvons, pour l'instant, que vous transmettre nos sentiments de surprise. Aucune nouvelle ne nous est parvenue de la présence de l'Archevêque de Cantorbéry sur nos terres.

GILBERT FOLLIOT, *net*—Sire, le ci-devant archevêque est réfugié à l'abbaye de Saint-Martin près de Saint-Omer.[27]

LE ROI LOUIS, *toujours gracieux*—Evêque, nous nous flattons qu'il y ait quelque ordre dans notre royaume. S'il y était, nous en aurions été certainement informés. (*Il fait un geste de congé. Les ambassadeurs s'inclinent et sortent à reculons avec les trois révérences, conduits par le premier baron. Aussitôt, Louis dit au second baron:*) Introduisez Thomas Becket, et laissez-nous.

> *Le second baron sort par une porte et introduit aussitôt Thomas, en robe de moine. Thomas met un genou en terre devant le roi, le baron est sorti.*

LE ROI LOUIS, *gentiment*—Relevez-vous, Thomas Becket. Et saluez-nous comme l'Archevêque-primat d'Angleterre. La révérence suffit et—si je ne m'embrouille pas dans l'étiquette—vous avez droit à une légère inclination de tête de ma part. Voilà qui est fait. Je vous devrais même le baiser de l'anneau si votre visite était officielle. Mais j'ai bien l'impression qu'elle ne l'est pas?

BECKET *a un sourire*—Non, Sire. Je ne suis qu'un exilé.

LE ROI, *gracieux*—C'est aussi un titre important, en France.

BECKET—J'ai peur que ce soit le seul qui me reste. Mes biens sont séquestrés et distribués à ceux qui ont servi le roi contre moi; des lettres ont été envoyées au comte de Flandre et à tous ses barons leur enjoignant de se saisir de ma personne. Jean, évêque de Poitiers, qui était suspecté de vouloir me donner asile, vient de recevoir du poison.

[27] **Saint Omer** *city in northern France*

LE ROI LOUIS, *toujours souriant*—En somme, vous êtes un homme très dangereux?

BECKET, *souriant*—Je le crains.

LE ROI LOUIS, *tranquillement*—Nous aimons le danger, Becket. Et si le roi de France se mettait à avoir peur du roi d'Angleterre, il y aurait quelque chose qui n'irait plus en Europe. Nous vous accordons notre protection royale sur celle de nos terres qu'il vous plaira de choisir.

BECKET—Je remercie humblement Votre Majesté. Je dois, cependant, lui dire que je ne peux acheter cette protection d'aucun acte hostile à mon pays.

LE ROI LOUIS—Vous nous faites injure. Nous l'entendions bien ainsi. Croyez que nous exerçons depuis assez longtemps notre métier, pour ne pas faire d'erreurs aussi grossières sur le choix de nos traîtres et de nos espions. Le roi de France ne vous demandera rien. Mais... il y a toujours un «mais», vous ne l'ignorez pas, en politique. *(Becket relève la tête. Le roi se lève péniblement de son trône sur ses grosses jambes et va à lui, familier.)* Je ne suis comptable que des intérêts de la France, Becket. Je n'ai vraiment pas les moyens de me charger de ceux du Ciel. Dans un mois, dans un an, je puis vous rappeler ici et, tout aussi benoîtement, vous dire que, mes affaires avec le roi d'Angleterre ayant évolué autrement, je dois vous bannir. *(Il lui tape amicalement sur l'épaule, affable, l'œil pétillant d'intelligence, et demande souriant et incisif:)* Archevêque, je crois que vous avez fait la cuisine, vous aussi?

BECKET, *souriant aussi*—Oui, Sire. Il n'y a pas bien longtemps.

LE ROI LOUIS, *bonhomme*—Vous m'êtes très sympathique. Remarquez que si vous aviez été un évêque français, Becket, je ne dis pas que je ne vous aurais pas fourré moi aussi en prison. Mais dans la conjoncture présente, vous avez droit à ma protection royale. Vous aimez la franchise, Becket?

BECKET—Oui, Sire.

LE ROI LOUIS—Alors, nous nous entendrons certainement. Vous comptez aller voir le Saint-Père?

BECKET—Oui, Sire, si j'ai vos laissez-passer.

LE ROI LOUIS—Vous les aurez. Mais, un conseil d'ami.—C'est entre nous, n'est-ce pas? N'allez pas me faire d'histoires avec Rome.— Méfiez-vous de lui. Pour trente deniers, il vous vendra.[28] C'est un homme qui a besoin d'argent.

> *La lumière a baissé. Un rideau s'est fermé. Deux petits praticables portant l'un le Pape et l'autre le cardinal sont poussés devant lui sur une petite musique.*
>
> *Le Pape est un petit homme remuant et maigre qui a un abominable accent italien. Il a près de lui un cardinal noiraud, dont l'accent est encore pire que le sien. Le tout fait un peu crasseux dans des dorures.*

LE PAPE—Je ne suis pas d'accord, Zambelli! Je ne suis pas du tout d'accord. La *combinazione* est mauvaise. Nous y perdrons l'honneur pour trois mille marcs d'argent!

LE CARDINAL—Très Saint-Père, il n'est nullement question de perdre l'honneur, mais de prendre la somme qu'offre le roi d'Angleterre et de gagner du temps. Perdre la somme et donner une réponse négative tout de suite n'arrangerait ni les affaires de la Curie,[29] ni celles de Thomas Becket, ni même, je le crains, celles des intérêts supérieurs de l'Eglise. Recevoir la somme— elle est minime, j'en conviens, et ne peut être envisagée pour forcer la décision—c'est tout simplement faire un geste d'apaisement dans l'intérêt de la paix en Europe. Ce qui a toujours été le devoir supérieur du Saint-Siège.[30]

LE PAPE, *soucieux*—Si nous recevons l'argent du roi, je ne peux pas recevoir l'Archevêque qui attend une audience depuis un mois à Rome.

LE CARDINAL—Recevez l'argent du roi, Très Saint-Père, et l'Archevêque. L'un compensant l'autre. L'argent enlèvera tout côté subversif à l'audience accordée à l'Archevêque et d'un autre

---

[28] *biblical reference to Judas Iscariot's betrayal of Christ for thirty pieces of silver*
[29] **la Curie** the Curia (*Pontifical administration*)
[30] **le Saint-Siège** the Holy See

côté, l'Archevêque reçu effacera ce qu'il pouvait y avoir d'humiliant à avoir accepté l'argent.

Le Pape, *s'assombrit*—Je n'ai pas envie de le recevoir. Il paraît que c'est un homme sincère. Je suis toujours démonté par ces gens-là. Ils me laissent un goût amer dans la bouche.

Le Cardinal—La sincérité est un calcul comme un autre, Très Saint-Père. Il suffit d'être bien pénétré de ce principe et la sincérité ne gêne plus. Dans certaines négociations très difficiles quand on piétine et que la manœuvre ne rend plus, il m'arrive même de m'en servir à l'occasion. Mon adversaire donne généralement dans le panneau; il m'imagine un plan extrêmement subtil, fait fausse route et se trouve pris. L'écueil, évidemment, c'est si votre adversaire se met à être sincère en même temps que vous. Le jeu se trouve alors terriblement embrouillé.

Le Pape—Vous savez ce qu'on lui prête l'intention de me demander depuis un mois qu'il piétine dans mon antichambre?

Le Cardinal, *lumineux*—Non, Très Saint-Père.

Le Pape *a un mouvement d'impatience*—Zambelli! pas de manœuvres avec moi! C'est vous qui me l'avez rapporté!

Le Cardinal, *pris en faute*—Pardon, Très Saint-Père, je l'avais oublié. Ou plutôt comme Votre Sainteté me posait la question, je pensais qu'elle l'avait oublié elle-même et à tout hasard...

Le Pape, *agacé*—Si nous finassons entre nous sans aucune utilité, nous n'en sortirons jamais, Zambelli!

Le Cardinal, *confus*—Un simple réflexe, Très Saint-Père. Excusez-moi.

Le Pape—Me demander de le relever de ses fonctions et de sa dignité d'Archevêque-primat, voilà pourquoi Becket est à Rome! Et vous savez pourquoi il veut me demander cela?

Le Cardinal, *franc pour une fois*—Oui, Très Saint-Père.

Le Pape, *agacé*—Non, Monsieur, vous ne le savez pas! C'est Rappalo, votre ennemi qui me l'a appris!

LE CARDINAL, *modeste*—Oui, mais je le savais tout de même, car j'ai un espion chez Rappalo.

LE PAPE *cligne un œil*—Culograti?

LE CARDINAL—Non. Culograti n'est mon espion qu'aux yeux de son maître. Par mon espion de Culograti.

LE PAPE *a un geste pour couper court*—Becket prétend que l'élection de Clarendon n'a pas été libre, qu'il ne doit sa nomination qu'au seul caprice royal, et que par conséquent l'honneur de Dieu, dont il se veut maintenant le champion, ne lui permet plus de porter ce titre usurpé. Il ne veut plus être qu'un simple prêtre!

LE CARDINAL, *après un temps de réflexion*—Cet homme est évidemment un abîme d'ambition.

LE PAPE—Il sait pourtant que nous savons que son titre et ses fonctions sont sa seule sauvegarde contre la colère du roi. Je ne donne pas cher de sa peau,[31] où qu'il soit, quand il ne sera plus archevêque!

LE CARDINAL, *pensif*—Son jeu est subtil. Mais nous avons pour nous une grande force, Très Saint-Père, c'est de ne pas savoir exactement ce que nous voulons. De l'incertitude profonde des desseins naît une étonnante liberté de manœuvre. *(Un temps de réflexion, puis il s'exclame soudain:)* J'ai l'idée d'une *combinazione*, Très Saint-Père. Votre Sainteté feint de croire à ses scrupules. Elle le reçoit et le relève de son titre et de ses fonctions d'Archevêque-primat puis, immédiatement, pour récompenser son zèle à défendre l'Eglise d'Angleterre, elle le renomme archevêque, en bonne et due forme, cette fois. Nous parons ainsi la menace, nous marquons un point contre lui—et en même temps un point contre le roi.

LE PAPE—Le jeu est dangereux. Le roi a le bras long!

LE CARDINAL—Pas plus long pour le moment que celui du roi de France, dont l'intérêt présent est de protéger Becket. Notre

---

[31] **Je ne donne pas cher de sa peau**   I shall not be able to answer for his life

politique doit être de mesurer constamment ces deux bras. D'ailleurs, nous pouvons nous couvrir. Nous expédierons des lettres secrètes à la cour d'Angleterre disant que cette nouvelle nomination est de pure forme et que nous relevons les ex-communications prononcées par Becket et, d'un autre côté, nous avertirons Becket de l'existence de ces lettres secrètes, lui demandant le secret, et le priant de les considérer comme nulles et non avenues.[32]

Le Pape, *qui s'embrouille*—Ce n'est peut-être pas la peine alors qu'elles soient secrètes?

Le Cardinal—Si. Parce que cela nous permettra de manœuvrer avec chacun d'eux comme si l'autre en ignorait le contenu, tout en ayant pris la précaution de le leur faire connaître. L'essentiel est qu'ils ne sachent pas que nous savons qu'ils savent. C'est à la portée d'un enfant de douze ans.

Le Pape—Mais Archevêque ou non, qu'est-ce que nous ferons de Becket?

Le Cardinal *a un geste allègre*—Nous l'expédierons dans un cou-vent! Un couvent français, puisque le roi Louis le protège, aux Cisterciens de Pontigny,[33] par exemple. La règle y est dure. Cela lui fera du bien à cet ancien dandy! Qu'il aille un peu apprendre dans la pauvreté à être le consolateur des pauvres.

Le Pape *sourit*—Le conseil me paraît bon, Zambelli. Le pain sec, l'eau et les prières nocturnes sont un remède excellent contre la sincérité. *(Il rêve un peu et ajoute:)* La seule chose que je me demande, Zambelli, c'est l'intérêt que vous pouvez avoir à me donner un bon conseil...

> *Le cardinal prend l'air un peu embarrassé. Les petits praticables s'en vont comme ils étaient venus, et le rideau s'ouvre découvrant le décor d'une petite cellule nue, dressée au milieu de la scène.*

[32] **nulles et non avenues** null and void
[33] **les Cisterciens de Pontigny** *religious community founded in the eleventh century; a twelfth-century Cistercian abbey still stands in Pontigny, a city in eastern France.*

*Becket prie devant un pauvre crucifix de bois. Dans
un coin, accroupi, le petit moine qui joue avec un
couteau.*

BECKET—Ce serait pourtant simple. Trop simple peut-être. La
sainteté aussi est une tentation. Ah! qu'il est difficile, Seigneur,
d'obtenir Vos réponses!

J'ai été long à Vous prier, mais je ne puis croire que ceux
plus dignes, qui depuis longtemps Vous interrogent, ont
appris à mieux déchiffrer Votre réel dessein. Je ne suis qu'un
élève débutant, et je dois accumuler les contresens, comme dans
mes premières versions latines quand, à force d'imagination,
je faisais exploser de rire le vieux prêtre. Mais je ne puis croire
qu'on apprend Votre langue comme une langue humaine, en
s'appliquant, et qu'il y a un lexique, une grammaire et des
tournures de phrases. Je suis sûr qu'au pêcheur endurci, qui
pour la première fois tombe à genoux et balbutie Votre nom,
étonné, Vous dites tout, tout de suite et qu'il comprend.

J'ai été à Vous comme un dilettante, surpris d'y trouver
encore mon plaisir. Et j'ai longtemps été méfiant à cause de
lui, je ne pouvais croire qu'il me faisait avancer d'un pas vers
Vous. Je ne pouvais croire que la route était heureuse. Leurs
cilices, leurs jeûnes, les réveils nocturnes où l'on vient Vous
retrouver, sur le carreau glacé, dans l'écœurement de la pauvre
bête humaine maltraitée, je ne puis pas croire que ce soit autre
chose que des précautions de faible. Dans la puissance et dans
le luxe, dans la volupté même, il me semble maintenant que je
ne cesserai de Vous parler. Vous êtes aussi le Dieu du riche
et de l'homme heureux, Seigneur, et c'est là votre profonde
justice. Vous n'avez pas détourné votre regard de celui qui a
tout eu en naissant. Vous ne l'avez pas abandonné seul, dans
son piège de facilité. Et c'est peut-être lui votre brebis
perdue... Les pauvres et les mal formés ont reçu trop d'avantages au départ. Ils débordent de Vous. Ils Vous ont bien à
eux comme une grande assurance dont leur misère est la prime.
Mais j'imagine quelquefois que leurs têtes altières seront
courbées encore plus bas que celles des riches, le jour de
Votre jugement. Car Votre Ordre, que nous appelons à tort

Justice, est secret et profond et Vous sondez aussi soigneusement leurs maigres reins que ceux des rois. Et sous ces dif-
férences, qui nous aveuglent, mais qui ne Vous sont même pas
perceptibles; sous la couronne ou sous la croûte, Vous découvrez
le même orgueil, la même vanité, la même préoccupation
satisfaite de soi.

Seigneur, je suis sûr, maintenant, que Vous avez voulu me
tenter avec ce cilice, objet de tant de satisfactions sottes, cette
cellule nue, cette solitude, ce froid de l'hiver absurdement
supporté et les commodités de la prière. Cela serait trop facile
de Vous acheter ainsi, au moindre prix.

Je quitterai ce couvent où tant de précautions Vous entourent.
Je reprendrai la mitre et la chape dorée, la grande croix d'argent
fin et je retournerai lutter à la place et avec les armes qu'il
Vous a plu de me donner.

Il Vous a plu de me faire Archevêque-primat et de me mettre
comme un pion solitaire, et presque aussi grand que lui, en
face du roi, sur le jeu. Je retournerai à cette première place,
humblement, laissant le monde m'accuser d'orgueil, pour y
faire ce que je crois mon ouvrage. Pour le reste, que Votre
volonté soit faite!

> *Il se signe. Le petit moine joue toujours avec son*
> *couteau dans son coin, soudain il le lance et le*
> *regarde vibrer, planté dans le parquet. Becket se*
> *détourne.*

Le rideau tombe.

QUATRIÈME ACTE

Même décor. La cellule nue de Becket. Il est debout. Devant lui, le supérieur et deux moines.

LE SUPÉRIEUR—Voilà, mon fils, la teneur des lettres du roi.

BECKET, *impénétrable*—Je comprends votre émotion, Seigneur abbé.

LE SUPÉRIEUR—Le choix de votre refuge, parmi nous, nous a remplis d'honneur et de gloire et, à Dieu ne plaise,[1] vous le pensez bien, que sur de pareilles injonctions, le chapitre vous congédie... Mais...

BECKET, *implacable*—Mais?

LE SUPÉRIEUR—C'est un simple avertissement que nous venons vous donner, afin que vous-même, dans votre prudence, jugiez de ce qu'il y a à faire.

> *Il y a un silence. Becket le sonde toujours du regard. Il demande, négligent:*

BECKET—La prudence est une vertu, mais il ne faut pas non plus être trop prudent, mon père. Votre couvent est bien sur les terres de Sa Majesté Louis de France qui m'a accordé sa protection royale?

---

[1] **à Dieu ne plaise** God forbid

LE SUPÉRIEUR, *modeste*—L'ordre des Cisterciens, mon fils, a sa maison mère ici, à Pontigny. Mais il est international... Il a de grandes possessions, vous ne pouvez l'ignorer, en Angleterre, en Normandie, dans le comté d'Anjou et le duché d'Aquitaine.

BECKET *sourit*—Ah! qu'il est difficile, Seigneur abbé, de défendre l'honneur de Dieu avec de grandes possessions! *(Il va à un petit balluchon préparé dans un coin.)* Vous voyez, voici les miennes: une chemise de rechange et un linge pour me laver. Mon balluchon était préparé. Je comptais partir de moi-même aujourd'hui.

LE SUPÉRIEUR, *rasséréné*—C'est un grand soulagement pour notre honneur, que cette décision pénible ait été prise par vous mon fils, avant même notre visite.

BECKET, *d'assez haut*—Ne m'appelez plus votre fils, Père abbé. Sa Sainteté a bien voulu me redonner, j'avais omis de vous le dire, mes dignités d'Archevêque-primat de l'Eglise d'Angleterre, que j'avais résignées volontairement entre ses mains. Ainsi, avant cet incertain voyage, c'est moi qui vous donnerai ma bénédicton apostolique. *(Il lui tend l'anneau pastoral qu'il vient de repasser à son doigt. Le Père abbé, avec une grimace, met un genou en terre et le baise. Puis il sort avec son clergé. Becket n'a pas bougé. Il ramasse son balluchon et dit au petit moine:)* Viens, petit! N'oublie pas ton couteau, nous en aurons peut-être besoin sur la route.

> *Ils sortent d'un autre côté. Le paravent de la cellule monte aux cintres, découvrant le trône du roi de France au milieu de la salle. Le roi Louis entre, tenant familièrement Becket par le bras.*

LE ROI LOUIS—Je vous l'ai dit, Becket, la cuisine est une vilaine chose. On traîne avec soi des relents. Il y a un retour de bonne intelligence entre le royaume d'Angleterre et nous. La paix de ce côté-là m'assure de grands avantages dans la lutte que je vais devoir entreprendre contre l'Empereur. Je dois avoir mes arrières assurés, par une trêve avec Henri de Plantagenêt, avant de marcher vers l'est. Et, bien entendu, vous avez été mis, en bonne et due place, sur la note de frais du roi. Je dois même vous avouer que tout ce qu'il me demande, en dehors de vous, est sans importance. *(Il rêve un peu.)* Curieux homme! La politique de l'Angleterre eût été [2] de fermer l'autre mâchoire de la tenaille, en profitant de l'agressivité de l'Empereur. Il sacrifie délibérément cette opportunité au plaisir de vous voir chassé. Il vous hait donc bien?

BECKET, *simplement*—Sire, nous nous aimions et je crois qu'il ne me pardonne pas de lui avoir préféré Dieu.

LE ROI LOUIS—Votre roi ne fait pas bien son métier, Archevêque. Il cède à la passion. Enfin! Il a choisi de marquer un point contre vous, au lieu de le marquer contre moi. Vous êtes sur sa note, je dois payer le prix et vous bannir. Je ne le fais pas sans une certaine honte. Où comptez-vous aller?

BECKET—Je suis un pasteur qui est resté bien longtemps éloigné de son troupeau. Je compte rentrer en Angleterre. Cette décision était déjà prise avant l'audience de Votre Majesté.

LE ROI LOUIS, *surpris*—Vous avez le goût du martyre? Vous me décevez. Vous m'aviez paru un homme plus sain.

BECKET—Serait-il sain d'aller mendier, sur les routes d'Europe, une place disputée à la peur, où ma carcasse serait en sécurité? D'ailleurs où ma carcasse serait-elle en sécurité?... Je suis Archevêque-primat d'Angleterre. C'est une étiquette un peu voyante dans mon dos. L'honneur de Dieu et la raison qui, pour une fois, coïncident, veulent qu'au lieu de risquer le coup de couteau d'un homme de main obscur, sur une route, j'aille me faire tuer—si je dois me faire tuer—coiffé de ma mitre, vêtu de ma chape dorée et ma croix d'argent en main, au milieu de mes brebis, dans mon Eglise Primatiale. Ce lieu seul est décent pour moi.

LE ROI LOUIS, *après un temps*—Vous avez sans doute raison. *(Il soupire.)* Ah! comme il est dommage quelquefois d'être roi, quand on a la surprise de rencontrer un homme... Vous me

---

[2] **eût été** should have been

direz, heureusement, que les hommes sont rares. Pourquoi n'êtes-vous pas né de ce côté de la Manche,[3] Becket? *(Il sourit.)* Il est vrai que c'est sans doute à moi que vous auriez fait des ennuis! L'honneur de Dieu est une chose bien encombrante... *(Il rêve encore un peu, puis dit soudain:)* Après tout, tant pis! Vous me plaisez trop. Je m'offre un moment d'humain. Je vais essayer quelque chose, quitte à ce que votre maître en profite pour grossir sa note; car, en somme, vous chasser, ça ne me coûtait rien qu'un peu d'honneur... Je rencontre Henri dans quelques jours, à La Ferté-Bernard, pour sceller nos accords. Je vais essayer de le convaincre de faire sa paix avec vous. Acceptez-vous, éventuellement, de lui parler?

BECKET—Sire, depuis que nous avons cessé de nous voir, je n'ai pas cessé de lui parler.

> *Le noir. Des sonneries de trompettes prolongées. Le décor est complètement enlevé; il ne reste que le cyclorama entourant le plateau nu. C'est une vaste plaine aride, battue par les vents. Trompettes encore. Des seigneurs et des hommes d'armes, tous à cheval, sont massés d'un côté de la scène, masses aux couleurs éclatantes, hérissées de lances et d'oriflammes, ils sont tous tournés vers le fond du décor, comme s'ils regardaient quelque chose.*

LE ROI LOUIS, *à ses barons*—Cela n'a pas été sans mal! Becket acceptait tout, en souriant. Il marquait même beaucoup de complaisance pour les exigences du roi comme pour celles d'un enfant boudeur. Le roi ne voulait rien entendre. Il miaulait comme un tigre, la main sur son poignard.

PREMIER BARON—Il le hait bien!

LE ROI LOUIS, *doucement*—Messieurs, ou nous ne sommes pas psychologues, ou, des deux, c'est lui qui aime d'amour. Becket a une tendresse protectrice pour le roi. Mais il n'aime au monde que l'idée qu'il s'est forgée de son honneur.

DEUXIÈME BARON—Les voilà qui s'avancent l'un vers l'autre...

[3] **la Manche**   the English Channel

Le Roi Louis—Seuls, au milieu de la plaine nue, comme deux rois.

Premier Baron, *soudain furieux*—Sire, je comprends le roi d'Angleterre! Il y a quelque impudeur pour un sujet à exiger de pareils égards!

Le Roi Louis, *doucement*—Il n'y a pas de fumée sans feu, Baron. S'il a osé les exiger et si deux Majestés ont trouvé naturel de les lui rendre, c'est qu'elles ont senti que cet homme, avec son obstination calme, représentait un autre Roi. Qu'ils se donnent le baiser de paix, suivant la coutume inviolable et sacrée! Ce ne sera probablement pas, pour nous, de la meilleure politique, mais nous ne pouvons nous empêcher, humainement, de la souhaiter.

Un garde au premier plan, à un autre plus jeune:

Le Garde—Ouvre tes mirettes, petite tête! Et fourre-t'en jusquelà! [4] Tu es nouveau dans le métier, mais c'est pas tous les jours que tu reverras ce que tu vois. C'est une entrevue historique!

Le Plus Jeune—N'empêche qu'il fait rudement froid! Ils vont nous faire poireauter longtemps?

Le Garde—Nous, on est protégés par la corne du bois,[5] mais eux, en plein milieu de la plaine, dis-toi qu'ils ont encore plus froid que nous.

Le Plus Jeune—Il monte bien, l'archevêque, pour un curé! Mais, d'ici à ce que sa jument le foute par terre, il n'y a qu'un pas.[6] Elle est mauvaise, la carne! Regarde ça!

Le Garde—Laisse-le faire. Avant d'être curé, c'est un gars qui gagnait tous les tournois.

Le Plus Jeune, *après un temps*—Ça y est.[7] Ils se sont rejoints. Qu'est-ce que tu crois qu'ils se disent?

Le Garde—Tu te figures peut-être qu'ils se demandent des nouvelles

---

[4] **fourre-t'en jusque-là** (*popular speech*) take it all in
[5] **la corne du bois** portion of the forest that juts out
[6] **d'ici à ce que . . . il n'y a qu'un pas** it won't be long before . . .
[7] **Ça y est.** That's it.

de leur famille, couillon? Ou qu'ils se plaignent de leurs engelures? Le sort du monde, qu'ils débattent en ce moment!
Des choses que toi et moi on n'y comprendra jamais rien.
Même les mots dont ils se servent, ces gros bonnets-là, tu les
comprendrais pas! [8]

> *Le noir. Puis la lumière. Tout le monde a disparu.*
> *Il n'y a plus, au milieu de la plaine, que Becket et*
> *le roi à cheval, l'un en face de l'autre. On entendra,*
> *pendant toute la scène, le vent d'hiver, comme une*
> *mélopée aiguë sous leurs paroles. Pendant leurs*
> *silences, on n'entendra plus que lui.*

LE ROI—Tu as vieilli, Thomas.

BECKET—Vous aussi, Altesse. Vous n'avez pas trop froid?

LE ROI—Si. Je pèle de froid. Tu dois être content, toi! Tu es dans
ton élément. Et tu es pieds nus, en plus?

BECKET *sourit*—C'est ma nouvelle coquetterie.

LE ROI—Avec mes poulaines [9] fourrées, je crève d'engelures. Tu
n'en as pas?

BECKET, *doucement*—Si, bien sûr.

LE ROI *ricane*—Tu les offres à Dieu, au moins, saint moine?

BECKET, *grave*—J'ai mieux à lui offrir.

LE ROI *crie soudain*—Si nous commençons tout de suite, nous allons
nous disputer! Parlons de choses indifférentes. Tu sais que mon
fils a quatorze ans? Il est majeur.

BECKET—Il s'est amélioré?

LE ROI—Un petit imbécile, sournois comme sa mère. Ne te marie
jamais, Becket!

BECKET *sourit*—La question est réglée maintenant. Et par Votre
Altesse. C'est elle qui m'a fait ordonner prêtre.

---

[8] **tu les comprendrais pas** *negative.* **Ne** *is often omitted in familiar*
speech.
[9] **poulaines** shoes with turned-up toes

LE ROI *crie encore*—Ne commençons pas encore, je te dis! Parlons d'autre chose.

BECKET *demande, léger*—Votre Altesse a beaucoup chassé?

LE ROI, *furieux*—Tous les jours! Et cela ne m'amuse plus.

BECKET—Elle a de nouveaux faucons?

LE ROI, *furieux*—Les plus chers! Mais ils volent mal.

BECKET—Et les chevaux?

LE ROI—Le sultan m'a envoyé quatre étalons superbes pour le dixième anniversaire de mon règne. Mais ils foutent tout le monde par terre. Personne n'a encore pu les monter.

BECKET *sourit*—Il faudra que je vienne voir ça un jour.

LE ROI—Ils te foutront par terre comme les autres! Et on verra ton cul sous ta robe. Du moins, je l'espère, ou ça serait à désespérer de tout!

BECKET, *après un petit temps*—Vous savez ce que je regrette le plus, Altesse? Ce sont les chevaux.

LE ROI—Et les femmes?

BECKET, *simplement*—J'ai oublié.

LE ROI—Hypocrite! Tu es devenu hypocrite en devenant curé. *(Il demande soudain:)* Tu l'aimais, Gwendoline?

BECKET—J'ai oublié aussi.

LE ROI—Tu l'aimais! C'est la seule explication que j'ai trouvée.

BECKET, *grave*—Non, mon prince, en mon âme et conscience, je ne l'aimais pas.

LE ROI—Alors, tu n'as jamais rien aimé, c'est pire. *(Il demande, bourru:)* Pourquoi m'appelles-tu ton prince, comme autrefois?

BECKET, *doucement*—Parce que vous êtes resté mon prince.

LE ROI *crie*—Alors, pourquoi me fais-tu du mal?

BECKET, *à son tour, doucement*—Parlons d'autre chose.

LE ROI—De quoi? J'ai froid.

BECKET—Je vous ai toujours dit, mon prince, qu'il fallait lutter contre le froid avec les armes du froid. Mettez-vous nu tous les matins et lavez-vous à l'eau froide.

LE ROI—Je l'ai fait autrefois, quand tu étais là pour m'y obliger. Maintenant, je ne me lave plus. Je pue! Un temps, je me suis laissé pousser la barbe. Tu l'as su?

BECKET *sourit*—Oui. J'ai bien ri.

LE ROI—Après, je l'ai coupée, parce que cela me grattait. *(Il crie, soudain, comme un enfant perdu:)* Je m'ennuie, Becket!

BECKET, *grave*—Mon prince. Je voudrais tant pouvoir vous aider.

LE ROI—Qu'est-ce que tu attends? Tu vois que je suis en train d'en crever!

BECKET, *doucement*—Que l'honneur de Dieu et l'honneur du roi se confondent.

LE ROI—Cela risque d'être long!

BECKET—Oui. Cela risque d'être long.

Il y a un silence. On n'entend plus que le vent.

LE ROI, *soudain*—Si on n'a plus rien à se dire, il vaut autant aller se réchauffer!

BECKET—On a tout à se dire, mon prince. L'occasion ne se présentera peut-être pas deux fois.

LE ROI—Alors, fais vite. Sinon, c'est deux statues de glace qui se réconcilieront dans un froid définitif. Je suis ton roi, Becket! Et tant que nous sommes sur cette terre, tu me dois le premier pas. Je suis prêt à oublier bien des choses, mais pas que je suis roi. C'est toi qui me l'as appris.

BECKET, *grave*—Ne l'oubliez jamais, mon prince. Fût-ce [10] contre Dieu! Vous, vous avez autre chose à faire. Tenir la barre du bateau.

LE ROI—Et toi, qu'est-ce que tu as à faire?

[10] **Fût-ce** *imperfect subjunctive with conditional meaning* not even

BECKET—J'ai à vous résister de toutes mes forces, quand vous barrez contre le vent.

LE ROI—Vent en poupe, Becket? Ce serait trop beau! C'est de la navigation pour petites filles. Dieu avec le roi? Ça n'arrive jamais. Une fois par siècle, au moment des croisades, quand toute la chrétienté crie: «Dieu le veut!» Et encore! Tu sais comme moi quelle cuisine cela cache une fois sur deux, les croisades. Le reste du temps, c'est vent debout.[11] Et il faut bien qu'il y en ait un qui se charge des bordées!

BECKET—Et un autre qui se charge du vent absurde—et de Dieu. La besogne a été, une fois pour toutes, partagée. Le malheur est qu'elle l'ait été entre nous deux, mon prince, qui étions amis.

LE ROI *crie, avec humeur*—Le roi de France—je ne sais pas encore ce qu'il y gagne—m'a sermonné pendant trois jours pour que nous fassions notre paix. A quoi te servirait de me pousser à bout?

BECKET—A rien.

LE ROI—Tu sais que je suis le roi et que je dois agir comme un roi. Qu'espères-tu? Ma faiblesse?

BECKET—Non. Elle m'atterrerait.

LE ROI—Me vaincre par force?

BECKET—C'est vous qui êtes la force.

LE ROI—Me convaincre?

BECKET—Non plus. Je n'ai pas à vous convaincre. J'ai seulement à vous dire non.

LE ROI—Il faut pourtant être logique, Becket!

BECKET—Non. Cela n'est pas nécessaire, mon roi! Il faut seulement faire, absurdement, ce dont on a été chargé—jusqu'au bout.

LE ROI—Je t'ai bien connu tout de même! Dix ans, petit Saxon! A la chasse, au bordel, à la guerre; tous les deux des nuits entières derrière des pots de vin; dans le lit de la même fille quelque-

[11] vent debout = vent contraire à la direction du navire

fois—et même au conseil devant la besogne. Absurdement. Voilà un mot qui ne te ressemble pas.

BECKET—Peut-être. Je ne me ressemble plus.

LE ROI *ricane*—Tu as été touché par la grâce?

BECKET, *grave*—Pas par celle que vous croyez. J'en suis indigne.

LE ROI—Tu t'es senti redevenir saxon, malgré les bons sentiments collaborateurs du papa?

BECKET—Même pas.

LE ROI—Alors?

BECKET—Je me suis senti chargé de quelque chose tout simplement, pour la première fois, dans cette cathédrale vide, quelque part en France, où vous m'avez ordonné de prendre ce fardeau. J'étais un homme sans honneur. Et, tout d'un coup, j'en ai eu un, celui que je n'aurais jamais imaginé devoir devenir mien, celui de Dieu. Un honneur incompréhensible et fragile, comme un enfant-roi poursuivi.

LE ROI, *qui se fait plus brutal*—Si nous parlions de choses précises, Becket, avec des mots à ma portée? Sinon, nous n'en finirons plus. J'ai froid. Et les autres nous attendent à chaque bout de cette plaine.

BECKET—Je suis précis.

LE ROI—Alors, c'est moi qui suis un imbécile. Parle-moi comme à un imbécile! C'est un ordre. Lèveras-tu l'excommunication de Guillaume d'Aynesford et les autres que tu as prononcées contre des hommes à moi?

BECKET—Non, mon roi, car je n'ai que cette arme pour défendre cet enfant à moi confié, qui est nu.

LE ROI—Accepteras-tu les douze propositions qu'ont admises mes évêques en ton absence à Northampton, et notamment de renoncer à la protection abusive des clercs saxons, qui se font tonsurer pour fuir la glèbe?

BECKET—Non, mon roi. Car mon rôle est de défendre mes brebis et ils sont mes brebis. (*Après un temps, il dit enfin:*) Je n'accepterai pas non plus que le choix des curés échappe à l'Episcopat, ni qu'aucun clerc soit justiciable d'une autre juridiction que d'Eglise. Ce sont là mes devoirs de pasteur qu'il ne m'appartient pas de résigner. Mais j'accepterai les neuf autres articles, par esprit de paix, et parce que je sais qu'il faut que vous restiez le roi—fors l'honneur de Dieu.

Le Roi, *froid, après un temps*—Eh bien, soit. Je t'aiderai à défendre ton Dieu, puisque c'est ta nouvelle vocation, en souvenir du compagnon que tu as été pour moi—fors l'honneur du royaume! Tu peux rentrer en Angleterre, Thomas.

Becket—Merci, mon prince. Je comptais de toute façon y rentrer et m'y livrer à votre pouvoir, car sur cette terre, vous êtes mon roi. Et pour ce qui est de cette terre, je vous dois obéissance.

Le Roi, *embarrassé, après un temps*—Eh bien, retournons, maintenant. Nous avons fini. J'ai froid.

Becket, *sourdement aussi*—Moi aussi, maintenant, j'ai froid.

> *Un silence encore. Ils se regardent. On entend le vent.*

Le Roi *demande soudain*—Tu ne m'aimais pas, n'est-ce pas, Becket?

Becket—Dans la mesure où j'étais capable d'amour, si, mon prince.

Le Roi—Tu t'es mis à aimer Dieu? (*Il crie:*) Tu es donc resté le même, sale tête, à ne pas répondre quand on te pose une question?

Becket, *doucement*—Je me suis mis à aimer l'honneur de Dieu.

Le Roi, *sombre*—Rentre en Angleterre. Je te donne ma paix royale. Puisses-tu avoir la tienne. Et ne pas t'être trompé sur toi-même. Je ne te supplierai jamais plus. (*Il crie, soudain:*) Je n'aurais pas dû te revoir! Cela m'a fait mal!

> *Il est soudain secoué d'un sanglot qui le casse sur son cheval.*

Becket, *ému, s'approche et murmure*—Mon prince.

LE ROI *hurle*—Ah! non, pas de pitié! C'est sale. Arrière! Rentre en Angleterre! Rentre en Angleterre! On a trop froid ici!

BECKET, *grave, faisant tourner son cheval et se rapprochant du roi*—Adieu, mon prince. Me donnez-vous le baiser de paix?

LE ROI—Non. Je ne puis plus t'approcher. Je ne puis plus te voir. Plus tard! Plus tard! Quand je n'aurai plus mal!

BECKET—Je m'embarquerai demain. Adieu, mon prince. Je sais que je ne vous reverrai plus.

LE ROI *lui crie, défiguré, haineux*—Pourquoi oses-tu me dire cela après ma parole royale? Me prends-tu pour un traître? (*Becket le regarde encore un instant, grave, avec une sorte de pitié dans son regard. Puis, il détourne lentement son cheval et s'éloigne. Le vent redouble. Le roi crie soudain:*) Thomas!

> *Mais Becket n'a pas entendu. Il s'éloigne et le roi ne crie pas une seconde fois. Il cabre son cheval et part au galop dans la direction opposée. La lumière baisse et revient dans le bruit du vent qui augmente. C'est l'autre partie de la plaine, autour du roi de France.*

LE ROI LOUIS—Ils ont fini. Ils se séparent.

PREMIER BARON—Ils n'ont pas échangé le baiser de paix.

LE ROI LOUIS—Non. J'ai vu cela. J'ai peur que notre intercession royale ait été vaine. On ne réconcilie pas l'eau et le feu. Le voici! (*Becket arrive et arrête son cheval près du roi. On s'écarte.*) Eh bien, Becket?

BECKET, *impénétrable*—Merci, Sire, ma paix est faite.

LE ROI LOUIS—De quelle paix voulez-vous parler? Celle de votre âme ou de la paix du roi? Si c'est celle-là, elle ne semblait guère chaleureuse de loin.

BECKET—La paix du roi, Sire. Pour l'autre, qui est bien incertaine aussi, elle dépend d'un autre roi.

LE ROI LOUIS—Henri ne vous a pas donné le baiser de paix, n'est-ce pas?

BECKET—Non.

LE ROI LOUIS—Je ne voudrais pas, pour mon pesant d'or, vous avoir donné le conseil de rentrer, Becket! Vous allez m'être un embarras, mais qu'importe! Restez ici. Ne vous fiez pas à votre roi, tant qu'il ne vous aura pas donné le baiser de paix.

BECKET—Je m'embarquerai demain, Sire. On m'attend là-bas.

LE ROI LOUIS—Qui vous attend? (*Becket a un sourire triste, un geste vague et ne répond pas. Trompettes lointaines.*) Les troupes du roi Henri s'éloignent. L'entrevue est terminée. Rentrons à La Ferté-Bernard, messieurs.

> *Ils sortent tous. Trompettes proches. Devant le cyclorama qui est assombri, une barque sur la scène. C'est la nuit. A bord Becket, le petit moine et un marinier.*
> *Tonnerre, tempête. La barque manque chavirer. Ils sont projetés les uns sur les autres par une lame. Becket éclate de rire et crie au petit qui écope:*

BECKET—Ecope, petit, écope! Ce qu'il faut, c'est en rejeter autant qu'on en reçoit, voilà tout!

LE MARINIER *crie à Becket*—Tenez bon, mon Père! La Manche est mauvaise à cette époque-ci, mais j'en ai vu d'autres! Et Dieu, qui ne me noie pas quand j'ai fait mon plein de maquereaux [12] ne voudra sûrement pas me noyer le jour où je transporte un saint homme!

BECKET *lui aussi crie, riant, comme apaisé dans la tempête*— L'habit ne fait pas le moine! Prie, mon fils! On n'est jamais sûr que c'est un saint homme qu'on transporte!

LE MARINIER *lui crie*—Priez plutôt, vous, mon Père! Moi, je m'occupe de cette garce de barre! [13] Ça me suffit.

BECKET, *riant dans le vent*—Tu as raison. Chacun son ouvrage!

---

[12] **quand j'ai fait mon plein de maquereaux** when my boat is filled with mackerel

[13] **cette garce de barre** this damn helm

> *Une vague plus haute. La voile claque, la barque*
> *semble s'engloutir. Le marin redresse et crie:*

LE MARINIER—Bravo, mon Père! On voit que vous savez prier, vous! Cette fois-là, on aurait dû y passer! [14]

BECKET *murmure souriant, le visage ruisselant d'embruns*—O bonne tempête de Dieu! Les tempêtes des hommes sont ignobles. Elles laissent un mauvais goût dans la bouche; qu'on en sorte vainqueur ou vaincu. Il n'y a que contre les bêtes sauvages, contre l'eau, le feu et le vent qu'il est bon à l'homme de lutter. *(Il crie au petit moine, désignant le vieux qui lutte cramponné à la barre:)* Regarde-le, à sa barre, le vieux marron sculpté. Avec sa chique qu'il ne crachera jamais, même pour boire le bouillon. Regarde l'homme, sur sa coque de noix, tranquille au milieu de l'enfer. Il peut tout. Ah! J'aime les hommes! La rude race!

> *Une nouvelle vague, le marinier redresse et crie:*

LE MARINIER—Allez-y ferme, mon Père! Encore quelques *Pater* [15] et nous aurons passé le plus mauvais. Priez dur!

BECKET *lui crie, joyeux, dans le vent*—Compte sur moi! Mais tiens ferme, toi aussi, mon vieux! Dieu s'amuse. Il sait bien que ce n'est pas comme ça que je dois mourir.

> *La barque plonge encore dans une vague haute*
> *comme une maison et disparaît. Le tonnerre, les*
> *éclairs encore dans la nuit, sur la mer déchaînée,*
> *dans une nuit épaisse. Puis, une lumière incertaine.*
> *C'est une côte désertique. On entend encore le*
> *bruit de la mer au loin, mais c'est une impression*
> *de calme. Becket et le petit moine sont debout,*
> *l'un près de l'autre, sur la grève nue. Une aube*
> *vague et grise.*

BECKET—Où sommes-nous?

---

[14] **on aurait dû y passer**   we should have gone down
[15] **Pater**   *Pater Noster, the Lord's Prayer*

LE PETIT MOINE—On dirait la côte, pas loin de Sandwich.[16]

BECKET—Puisses-tu dire vrai.[17] Je connais le pays. Nous allons pouvoir regagner Cantorbéry par des chemins de traverse.

LE PETIT MOINE—Cet homme qui a couru vers nous sur la grève, au moment où nous allions nous embarquer en France, a dit qu'ils nous attendaient quelque part sur cette côte.

BECKET—Dieu leur a envoyé une bonne tempête pour les tromper. Ils n'ont pas dû croire que nous avons pu traverser. Ils sont rentrés chez eux se coucher. Les assassins eux-mêmes dorment.

LE PETIT MOINE *demande, c'est une simple question*—Faudra-t-il mourir?

BECKET—Sans doute, mon fils. Mais où et quand? Dieu seul l'a décidé. J'espère que nous arriverons jusqu'à mon église. J'ai l'idée que cela sera là-bas. Tu as peur?

LE PETIT MOINE, *simplement*—Oh! non. Si on a le temps de se battre. Ce que je veux seulement, avant, c'est donner quelques coups, que je n'aie pas fait qu'en recevoir. Si je tue seulement un Normand avant—un seul, je ne suis pas exigeant—un pour un, ça me paraîtra tout de même juste. On y va, mon Père? On va leur montrer à nous deux qu'ils nous font pas peur avec leurs cottes de mailles et leurs grandes lances, ceux qui nous attendent de ce côté?

BECKET, *lui prenant la main*—On y va!

LE PETIT MOINE—C'est bon de mourir pour quelque chose. De se dire qu'on est un petit grain de sable, c'est tout, mais qu'à force de mettre des grains de sable dans la machine, un jour, elle grincera et elle s'arrêtera.

BECKET, *doucement*—Et ce jour-là?

LE PETIT MOINE—On mettra une belle machine toute neuve et bien huilée, à la place de la vieille et, cette fois, ce sont les Normands qu'on fourrera dedans. *(Il demande, sincère:)* C'est ça, n'est-ce pas, la justice?

---

[16] *maritime town in southeast England*
[17] **Puisses-tu dire vrai.** May it be true.

BECKET—Oui, ce doit être cela. Prions tous les deux avant de partir. Nous en avons rudement besoin. *(Il joint les mains, debout à côté du petit moine qui prie, la tête baissée. Il murmure:)* Oh! mon Dieu. Vous qui savez ce que nous allons chercher, chacun de notre côté, à votre rendez-vous—rien de pur ni l'un ni l'autre, je le crains—protégerez-vous notre pauvre couple? Nous garderez-vous jusqu'au bout, jusqu'au pied de votre autel où cela doit se passer? *(Il fait le signe de croix et se retourne vers le petit moine.)* Allons maintenant. Il faut profiter du reste de nuit pour marcher. Qu'est-ce que tu fais?

LE PETIT MOINE, *accroupi*—J'essaie de rafistoler ce qui reste de ma sandale. Ça tombe bien si je meurs demain, parce que j'avais plus rien aux pieds.

> *Il travaille, sérieux et cocasse, avec son couteau.*
> *Becket le regarde. Il murmure:*

BECKET—Cela aurait été une solution aussi, mon Dieu, d'aimer les hommes.

LE PETIT MOINE *s'est relevé*—Ça y est. Ça tiendra un bout de temps.

BECKET, *lui prenant la main*—Alors, allons-y du pied gauche. Et si on sifflait quelque chose d'un peu gai, tous les deux, pour se réchauffer? Ce serait un péché, tu crois, étant donné où nous allons? Après tout, Dieu envoie ses épreuves, mais il n'a jamais dit, nulle part, qu'on ne pouvait pas les accepter en sifflant?

> *Ils s'éloignent tous les deux sur la grève, la main dans la main, sifflant la marche qu'affectionne Becket. La lumière change. Des rideaux rouges tombent. Des valets apportent la table, les escabeaux, le haut fauteuil du roi. Henri, son fils aîné, les reines et les barons prennent place autour de la table. Des torchères font une lumière crue et des ombres mouvantes. On entendra la marche courageuse sifflée en coulisse pendant le changement de décor.*

Tous attendent, debout autour de la table. Le roi, le regard étincelant d'ironie méchante, les regarde tous, puis il clame:

LE ROI—Messieurs, aujourd'hui, ce n'est pas moi qui m'assiérai le premier! *(A son fils, qu'il salue comiquement:)* Vous êtes roi, Monsieur! A vous l'honneur. Prenez ce fauteuil et aujourd'hui, c'est moi qui vous servirai.

LA REINE MÈRE, *un peu agacée*—Mon fils!

LE ROI—Je sais ce que je fais, Madame. *(Il crie soudain:)* Allons, bougre d'idiot, grouille! Tu es roi, mais tu es toujours aussi bête. *(Sournois et un peu gêné, le garçon qui a ébauché le geste d'esquiver une gifle quand son père a crié, va s'asseoir à la place d'Henri.)* Prenez place, messieurs. Moi je reste debout. Barons d'Angleterre, voici votre second roi! Pour le bien de nos vastes provinces, un collègue en royauté nous était devenu nécessaire. Renouant avec une antique coutume, nous avons voulu faire sacrer notre successeur de notre vivant et partager nos responsabilités avec lui. Nous vous demandons aujourd'hui de lui rendre votre hommage et de l'honorer du même titre que nous.

Il fait un signe. Deux écuyers tranchants ont apporté une pièce de venaison sur un grand plat d'argent. Le roi sert son fils.

LA REINE, *à son fils*—Tenez-vous droit. Et tâchez au moins de manger proprement, aujourd'hui que vous êtes à l'honneur.

LE ROI *grommelle, le servant*—Il ne paie guère de mine. C'est un petit sournois, un peu borné. Mais enfin, un jour, il sera bel et bien votre roi; autant vous y habituer tout de suite! Et d'ailleurs, c'est tout ce que j'avais à vous offrir...

LA REINE MÈRE *éclate soudain, indignée*—Allez, mon fils! Ce jeu est indigne de vous et de nous. Vous l'avez voulu—contre mes avis—jouez-le du moins dignement.

LE ROI *se retourne, furieux*—Je joue aux jeux qui m'amusent,

Madame, et de la façon qui m'amuse! Cette chienlit,[18] messieurs, d'ailleurs sans aucune importance—si votre nouveau roi bouge, venez me le dire, je m'en chargerai avec un coup de pied au train—, aura tout au moins un résultat appréciable, celui de montrer à notre nouvel ami l'Archevêque-primat que nous savons nous passer de lui! Mais s'il y avait un antique privilège auquel la Primatie tenait, dur comme fer, c'était bien celui d'avoir, seule, le droit d'oindre et de sacrer les rois de ce pays. Eh bien, c'est cette vieille crapule d'archevêque d'York—avec de bonnes lettres du Pape l'y autorisant (j'y ai mis le prix)—qui sacrera, demain, notre fils dans notre cathédrale. Ah! la bonne farce! *(Il pouffe bruyamment dans le silence des autres.)* Ah! la bonne, l'excellente farce! Ah! la tête de l'Archevêque quand il aura à digérer ça! *(A son fils.)* Sors de là, maintenant, imbécile, et retourne au bout de la table avec ta viande. Tu ne seras sacré officiellement que demain.

> *Le petit, avec un regard soumis et haineux à son père, change de place, emportant son assiette.*

LE ROI, *qui l'a regardé passer, goguenard*—Quel regard! C'est beau, les sentiments filiaux, messieurs. Tu voudrais bien que ce soit pour de bon, hein, petite brute? Tu le voudrais bien, ton numéro trois,[19] et papa bien raide sous son catafalque? Il faudra attendre encore un peu! Papa va bien! Papa va extrêmement bien!

LA REINE MÈRE—Mon fils, Dieu sait si j'ai critiqué votre tentative de rapprochement avec ce misérable, qui ne nous a fait que du mal... Dieu sait si je comprends votre haine pour lui! Mais, du moins, qu'elle ne vous entraîne pas à un geste gros de conséquences, pour le seul plaisir de blesser son orgueil. Henri n'est encore qu'un enfant. Mais vous n'étiez guère plus grand que lui quand vous avez voulu gouverner par vous-même, contre moi. Des ambitieux—qui ne manquent jamais autour des princes—peuvent le conseiller, monter un parti contre vous,

---

[18] **la chienlit** masquerade
[19] *i.e., become Henry III*

s'autorisant de ce couronnement hâtif et diviser le royaume. Songez-y, il est encore temps!

LE ROI—Nous sommes encore là, Madame, je vous dis! Et rien n'égale mon plaisir à imaginer la tête de mon orgueilleux ami Becket, quand il verra le privilège essentiel de la Primatie escamoté. Je me suis laissé grignoter quelques articles, l'autre jour, mais je l'attendais à ce tournant-là.

LA REINE MÈRE *se dresse*—Henri! J'ai été plus longtemps chargée du poids des affaires que vous. J'ai été votre reine et je suis votre mère. Vous êtes comptable des intérêts d'un grand royaume, pas de vos humeurs. Vous avez déjà trop donné au roi de France, à La Ferté-Bernard. C'est de l'Angleterre que vous devez vous occuper, pas de votre haine—ou de votre amour déçu—pour cet homme!

LE ROI *se dresse aussi, furieux*—Mon amour déçu, mon amour déçu? Qui vous autorise, Madame, à vous occuper de mes amours?

LA REINE MÈRE—Vous avez contre cet homme une rancœur qui n'est ni saine ni virile! Le roi, votre père, traitait plus vivement et plus sommairement ses ennemis. Il les faisait tuer et n'en parlait pas tant. Thomas Becket serait [20] une femme qui vous aurait trahi et que vous aimeriez encore, vous n'agiriez pas autrement. Tudieu! [21] Arrachez-vous-le une bonne fois du cœur. *(Elle rugit soudain:)* Ah! si j'étais un homme!

LE ROI, *goguenard*—Remercions Dieu, Madame. Il vous a doté de mamelles dont je n'ai jamais, d'ailleurs, personnellement profité... J'ai tété une paysanne.

LA REINE MÈRE, *aigre*—Sans doute, est-ce pour cela que vous êtes resté aussi lourd, mon fils.

LA REINE, *se dresse soudain à son tour*—Et moi, n'ai-je point la parole? Je vous ai toléré vos maîtresses, Monsieur, mais vous croyez que je tolérerai tout? Me prenez-vous pour une de vos margotons,[22] ou songez-vous quelquefois de quelle race je suis? Je suis lasse d'avoir ma vie encombrée par cet homme.

---

[20] **Thomas Becket serait** If Thomas Becket were
[21] **Tudieu** *curse used in old comedy, deriving from* **tue** *and* **Dieu**
[22] **la margoton** woman of equivocal mores

Toujours lui! Toujours lui! On ne parle que de lui, ici! Il
était presque moins encombrant quand vous l'aimiez. Je suis
femme. Je suis votre femme et votre reine. Je ne veux plus
être traitée ainsi. Je me plaindrai au duc d'Aquitaine, mon
père! Je me plaindrai à mon oncle, l'Empereur! Je me plaindrai
à tous les rois d'Europe, mes parents! Je me plaindrai à Dieu!

Le Roi, *tonnant, un peu vulgaire*—Commencez donc par Dieu!
Filez dans votre oratoire voir s'il y est! *(Il se retourne vers sa
mère, flamboyant.)* Et vous, l'autre Madame, dans votre cabinet,
avec vos conseillers secrets, pour y tramer vos toiles! [23] Sortez,
toutes les deux! Je ne veux plus vous voir! Je vomis d'ennui
quand je vous vois! Et le jeune Henri III de même! Et plus
vite que ça! *(Il le chasse à coups de pied, hurlant:)* Mon pied
royal dans vos fesses royales! Et toute ma famille au diable,
s'il en veut! Sortez! Sortez! Sortez tous!

> *Elles sont sorties en désordre, dans un grand frois-
> sement de soie. Il se retourne vers ses barons qui
> se sont dressés, épouvantés.*

Le Roi, *un peu calmé*—Buvons, messieurs, puisque avec vous c'est
tout ce qu'on peut faire. Soûlons-nous, comme des hommes,
toute la nuit! jusqu'à ce que nous roulions sous la table, dans
les vomissures et l'oubli. *(Il les sert, les attirant à lui d'un
geste.)* Ah! mes quatre imbéciles! Mes fidèles. Il fait chaud avec
vous, comme dans une étable. Bonnes sueurs. Bons néants.
(Il leur cogne la tête.) Pas la plus petite lueur, là-dedans, pour
déranger un peu la fête. Dire qu'avant lui j'étais comme vous!
Une bonne grosse machine à roter après boire, à pisser, à
enfourcher les filles et à donner des coups. Qu'est-ce que tu
es venu y fourrer, Becket, pour que cela ne tourne plus rond?
(Il demande soudain:) Vous pensez, vous, quelquefois, baron?

Deuxième Baron—Jamais, Altesse. Cela n'a jamais réussi à un
Anglais. C'est malsain. Et d'ailleurs un gentilhomme a autre
chose à faire.

Le Roi, *calmé soudain*—Buvons, messieurs! Cela a été, de tout

[23] **pour y tramer vos toiles** to weave your cloth, *but also here* to hatch
your plots

temps, reconnu sain. *(Il se sert, les sert et demande:)* Becket a abordé? On m'a dit que la mer avait été trop mauvaise ces jours-ci pour lui permettre le passage?

PREMIER BARON, *sombre*—Il a abordé, Altesse, malgré la mer.

LE ROI—Où?

PREMIER BARON—Sur une côte déserte, près de Sandwich.

LE ROI—Dieu n'a pas voulu le noyer?

PREMIER BARON—Non.

LE ROI *demande soudain, prenant son air de brute sournoise*— Personne ne l'attendait là-bas? Il n'a pas que des amis, pourtant, en Angleterre!

PREMIER BARON—Si. Gervais, vicomte de Kent, Regnouf de Broc et Regnault de Garenne l'attendaient. Gervais avait dit que, s'il osait aborder, il lui couperait la tête, de sa propre main. Mais les hommes de race anglaise, de toutes les villes de la côte, s'étaient armés pour faire escorte à l'Archevêque. Et le doyen d'Oxford est allé à la rencontre des barons, les adjurant de ne point faire couler le sang et vous faire passer pour traître, puisque l'Archevêque avait votre sauf-conduit.

LE ROI, *sombre*—Il a mon sauf-conduit.

PREMIER BARON—Tout le long de la route de Cantorbéry, les paysans, les ouvriers, les petits marchands sont venus à sa rencontre, l'acclamant et lui faisant escorte de village en village. Pas un homme riche ne s'est montré, pas un Normand.

LE ROI—Seulement des Saxons?

PREMIER BARON—De pauvres gens armés d'écus de fortune [24] et de lances rouillées. De la racaille. Mais nombreuse, qui campe autour de Cantorbéry, pour le protéger, disent ses meneurs. Une immense masse en haillons, sortie de ses trous, qu'on ne voyait jamais. Les évêques et les barons commencent à craindre pour leur sécurité, enfermés dans leurs places fortes, au milieu de cette vermine qui tient tout le pays. *(Il conclut, sombre:)*

---

[24] **de fortune**   improvised

On n'aurait jamais pu croire qu'il y avait tant de monde en Angleterre.

> *Le roi est resté silencieux, prostré; soudain il se lève et rugit:*

LE ROI—Un misérable qui a mangé mon pain! Un homme que j'ai tiré du néant de sa race! Que j'ai aimé! *(Il crie, comme un fou:)* Je l'ai aimé! *(Il leur crie, comme un défi absurde:)* Oui, je l'ai aimé! Et je crois bien que je l'aime encore. Assez, mon Dieu! Assez! Arrêtez, mon Dieu, j'en ai assez!

> *Il s'est jeté sur le lit de repos, en proie à une crise nerveuse, sanglotant, déchirant le matelas de crin avec ses dents, mangeant le crin. Les barons, étonnés, se rapprochent.*

PREMIER BARON, *timide*—Altesse...

LE ROI, *qui ne semble pas l'avoir entendu, gémit, la tête dans son matelas*—Rien! Je ne peux rien! Veule comme une fille. Tant qu'il vivra, je ne pourrai jamais rien. Je tremble, étonné, devant lui... Et je suis roi! *(Il crie, soudain:)* Personne ne me délivrera donc de lui? Un prêtre! Un prêtre qui me nargue et me fait injure! Il n'y a donc que des lâches, comme moi, autour de moi? Il n'y a donc plus un homme, en Angleterre? Oh! mon cœur! Mon cœur bat trop fort! *(Il est couché comme un mort, sur le matelas au crin défait. Les quatre barons sont interdits autour de lui. Soudain, sur un instrument à percussion, naît un rythme, une sorte de tam-tam sourd qui n'est, au début, que le battement du cœur agité du roi, mais qui s'amplifie et s'affirme. Les quatre barons se sont regardés en silence. Ils se dressent, bouclent leurs ceinturons, prennent leurs casques et sortent lentement, laissant le roi, sur le rythme sourd du battement du cœur qui ne cessera plus jusqu'au meurtre. Le roi est seul un instant, prostré dans la salle déserte, aux escabeaux renversés. Une torche grésille et s'éteint. Il se redresse, regarde autour de lui, s'aperçoit qu'ils sont partis et, soudain, comprend pourquoi... Il a l'œil égaré. Une hésitation, puis il s'écroule sur son matelas en rugissant, dans un sanglot:)* O mon Thomas!

Une deuxième torche s'éteint, faisant le noir. On n'entend plus que le tam-tam sourd et régulier. La lumière revient, incertaine. C'est la même forêt de piliers, la cathédrale de Cantorbéry. Au fond, un petit autel sur trois marches, l'amorce d'une grille. Dans un coin, à l'avant-scène, Becket que le petit moine aide à se vêtir de ses habits sacerdotaux. Sur un tabouret près d'eux, la mitre archiépiscopale, la haute croix d'argent appuyée contre un pilier.

BECKET—Il faut que je sois beau. Fais vite!

> *Le petit moine l'habille, maladroit. On entend le tam-tam sourd, très loin d'abord, puis qui va se rapprocher.*

LE PETIT MOINE—C'est difficile, tous les petits liens. Il faudrait des mains de fille!

BECKET, *doucement*—Des mains d'homme, aujourd'hui, c'est mieux. Laisse les liens défaits. L'aube,[25] vite. Et l'étole.[25] Et puis la chape.[25]

LE PETIT MOINE, *appliqué*—Il faut que ce qui doit être fait soit fait.

BECKET—Tu as raison. Il faut que ce qui doit être fait soit fait. Lie tous les petits liens. Sans en passer un... Dieu nous donnera le temps.

> *Un silence, le petit moine s'applique tirant la langue, maladroit. On entend le tam-tam plus proche.*

BECKET, *souriant*—Ne tire pas la langue en t'appliquant.

> *Il le regarde travailler.*

LE PETIT MOINE, *suant et satisfait*—Voilà. Tout est en ordre. Mais j'aurais préféré m'occuper de mes bêtes! C'est moins dur.

[25] *priest's garb:* **l'aube** alb; **l'étole** stole; **la chape** cope

BECKET—L'aube, maintenant. *(Il demande, pendant que le petit moine l'habille.)* Tu les aimais bien, tes bêtes?

LE PETIT MOINE *dont le regard s'éclaire*—Oui.

BECKET—Chez mon père aussi il y avait des bêtes quand j'étais petit. *(Il lui sourit.)* On est deux gars d'Hastings, tous les deux! Donne-moi la mitre maintenant, que je me coiffe. *(Pendant que le petit va chercher la mitre il dit doucement:)* Seigneur, vous avez interdit à Pierre de frapper au jardin des Olives,[26] mais moi je ne le priverai pas de cette joie. Il n'en a tout de même pas eu assez, pendant son court passage ici. *(Au petit moine qui l'a coiffé de sa mitre:)* Donne-moi ma croix d'argent, maintenant. Il faut que je la tienne.

LE PETIT MOINE, *la lui passant*—D'autant plus qu'un bon coup avec ça: c'est que ça pèse! Ah! si je l'avais en main, moi!

BECKET *sourit, avec une caresse*—Heureux petit Saxon! Finalement, pour toi, ce monde noir aura été en ordre jusqu'au bout. *(Il se redresse redevenu grave.)* Me voilà prêt, Seigneur, paré pour votre fête. Ne laissez pas, pendant ce temps d'attente, un dernier doute m'envahir...

> *Pendant cette scène, le tam-tam s'est rapproché. Il est tout près maintenant et se confond soudain avec de grands coups frappés dans une porte. Un prêtre entre, affolé:*

LE PRÊTRE—Monseigneur! Quatre hommes sont là, armés. Ils disent qu'ils doivent vous voir de la part du roi. J'ai fait barricader la porte, mais ils l'enfoncent. Ils ont des haches! Vite! Il faut vous retirer dans le fond de l'église et donner l'ordre de fermer la grille du chœur! Elle est solide.

BECKET, *calme*—C'est l'heure des vêpres, Guillaume. Est-ce qu'on ferme la grille du chœur, pendant les vêpres? Cela ne se serait jamais vu.

LE PRÊTRE, *interdit*—Non, mais...

[26] **le jardin des olives** the Mount of Olives *where Jesus spent a night of agony before his arrest. When attendants of the chief priests and Pharisees came to arrest Christ, Peter struck one of them with his sword. Jesus admonished Peter to put his sword into its scabbard. Cf. St. John, 18:10, 11.*

BECKET—Alors, que tout soit dans l'ordre. On ne fermera pas la grille du chœur. Viens, petit, allons jusqu'à l'autel. Nous ne sommes pas bien ici.

> *Il se dirige vers l'autel, suivi du petit moine. Un fracas. La porte a cédé. Les quatre barons entrent, casqués, dégainant, jetant leurs haches en désordre. Becket s'est retourné vers eux, grave et calme, au pied de l'autel. Ils s'arrêtent un instant, incertains, déconcertés: quatre statues énormes et menaçantes. Le tam-tam s'est arrêté. Il n'y a plus qu'un épais silence. Becket dit simplement:*

BECKET—Ah! Voilà enfin la bêtise. C'est son heure. *(Il ne les quitte pas des yeux. Ils n'osent bouger. Il demande froid:)* On n'entre pas armés dans la maison de Dieu. Que voulez-vous?

PREMIER BARON, *sourdement*—Que tu meures.

> *Un silence, le second ajoute soudain, sourdement aussi:*

DEUXIÈME BARON—Tu as fait honte au roi. Fuis ou tu es mort!

BECKET, *doucement*—C'est l'heure de l'office.

> *Il se retourne vers l'autel où se dresse un haut crucifix sans plus s'occuper d'eux. Le tam-tam reprend, sourd. Les quatre hommes s'avancent, comme des automates. Le petit moine bondit, soudain, brandissant la lourde croix d'argent pour protéger Becket, mais un baron l'étend raide, d'un coup d'épée.*

BECKET *murmure comme un reproche:*—Même pas un... Cela lui aurait fait tant de plaisir, Seigneur. *(Il crie soudain:)* Ah! que vous rendez tout difficile et que votre honneur est lourd! *(Il dit encore, soudain, tout bas:)* Pauvre Henri.

> *Les quatre hommes se sont jetés sur lui. Recevant*

le premier coup, il tombe. Ils s'acharnent sur son corps avec des hans de bûcherons. Le prêtre a fui avec un long hurlement dans la cathédrale vide. Le noir soudain. La lumière revient.
A la même place, le roi nu, à genoux, sur la tombe de Becket, comme au début de la pièce. Quatre moines lui tapent dessus, avec des cordes, faisant presque le même geste que les barons tuant Becket.

LE ROI *crie:*—Tu es content, Becket? Il est en ordre, notre compte? L'honneur de Dieu est lavé? *Les quatre moines achèvent de frapper, puis s'agenouillent baissant la tête. Le roi bredouille, on sent que c'est le cérémonial:* Merci. Mais oui... mais oui, c'était convenu. C'est pardonné. Merci beaucoup.

Le page avance avec un vaste manteau, dont le roi s'enveloppe. Les barons entourent le roi, l'aidant à se rhabiller pendant que les évêques et le clergé, formés en procession, s'éloignent solennellement au fond, au son de l'orgue. Le roi se rhabille hâtivement, d'assez mauvaise humeur, aidé de ses barons. Il a une grimace de mauvaise humeur et grogne:

LE ROI—Les cochons! Les évêques normands ont fait le simulacre, mais les petits moines saxons, eux, en ont voulu pour leur argent.

UN BARON *s'avance, venant du dehors. On entend des cloches joyeuses*—Sire, l'opération est réussie! Il paraît que la foule saxonne hurle d'enthousiasme autour de la cathédrale, acclamant le nom de Votre Majesté, en même temps que celui de Becket. Si maintenant les Saxons sont pour nous, les partisans du prince Henri semblent définitivement perdus.

LE ROI, *avec assez de majesté hypocrite sous son air de gros garçon*—L'honneur de Dieu, messieurs, est une bonne chose et on gagne, tout compte fait, à l'avoir de son côté. Thomas Becket—qui fut notre ami—le disait. L'Angleterre lui devra sa victoire finale sur le chaos et nous entendons qu'il soit désormais, dans ce royaume, prié et honoré comme un saint. Venez, messieurs. Nous déciderons, ce soir, en conseil, des honneurs posthumes à lui rendre et du châtiment de ses assassins.

PREMIER BARON, *imperturbable*—Sire, ils sont inconnus.

LE ROI *le regarde et lui dit impénétrable*—Nous les ferons rechercher par notre justice, Baron, et vous serez tout spécialement chargé du soin de cette enquête, afin que tous n'ignorent rien de notre volonté royale de défendre désormais l'honneur de Dieu et la mémoire de notre ami.

> *L'orgue reprend et s'amplifie, triomphal, mélangé aux cloches et aux acclamations joyeuses de la foule pendant qu'ils sortent.*

> *Le rideau tombe.*

exercises

PREMIER ACTE

questions sur le texte

1. Comment le dramaturge se sert-il de la technique de rétrospective? Quel effet crée-t-il? Quelles pièces célèbres commencent de cette même façon?
2. Le vocabulaire du roi jure-t-il avec l'image que l'on se fait d'un roi?
3. Faites une analyse du caractère du roi.
4. Quels sont les rapports entre le roi et Becket?
5. Quels sont les indices révélés par le dramaturge indiquant la complexité du caractère de Becket? (p. 16) Est-il un personnage ambigu?
6. Décrivez l'attitude du roi et de Becket envers le peuple. (pp. 17–21)
7. Le roi est-il au courant de ce qui se passe dans son royaume? (p. 18)
8. Quel est le groupe de savants auquel Becket fait allusion en disant: "Avec de savants clercs, discutant du sexe des anges, ton Seigneur s'ennuierait encore plus, mon petit chat." (pp. 23–24)
9. Pourquoi un objet tel que la fourchette joue-t-il un rôle aussi important dans cet acte? (p. 24)
10. Y avait-il un malentendu entre le roi et le clergé? Lequel?
11. Expliquez la phrase du roi: "J'ai l'air d'un dur, je suis un tendre... On ne se refait pas." (p. 27)
12. Quand Becket commence-t-il à se sonder? à se chercher?
13. Comment Becket réagit-il à l'enlèvement de sa maîtresse par le roi?

Est-il honnête envers lui-même en répondant "Non" à Gwendoline quand elle lui demande: "Mon Seigneur n'aime rien au monde, n'est-ce pas?"

14. Qu'entend Becket par "honneur"? (p. 30)
15. Comment Anouilh crée-t-il le suspens à la fin de l'acte? Accélère-t-il le rythme de la pièce ainsi?

liste d'expressions à retenir

1. **faire un froid** "Qu'il *faisait un froid* dans cette plaine... (p. 2) .
2. **en vouloir à quelqu'un** "Tu *m'en as voulu,* le soir où je te l'ai prise." (p. 2)
3. **avoir envie de** "*J'ai envie de* prier!" p. 2).
4. **servir à quelque chose** "A *quoi* cela *sert-il...* les *conquêtes* (p. 2)
5. **prendre un bon accent** "Ils m'ont envoyé tout jeune en France y *prendre un bon accent* français." (p. 4)
6. **faire à quelqu'un l'honneur de quelque chose** "Mon roi *me fera-t-il l'honneur de venir l'étrenner* chez moi?" (p. 6)
7. **lancer une mode** "Je *lance cette mode.*" (p. 7)
8. **en savoir plus long** "tu *en sais plus long* que nous tous!" (p. 8)
9. **prendre une décision** "*ma décision est prise...*" (p. 9)
10. **crever de faim** "Je *crève de faim...*" (p. 9).
11. **entendre dire** "Mais je n'*ai* jamais *entendu dire* qu'il donnait directement ses consignes à l'homme de barre." (p. 11)
12. **être en jeu** "L'intégrité et l'honneur de l'Eglise d'Angleterre *sont en jeu!*" (p. 12)
13. **lever les troupes** "Je *lève des troupes...*" (p. 12)
14. **être hors de soi** "*hors de lui...*" (p. 12)
15. **en appeler à quelqu'un** "Il faut *en appeler à* Rome!" (p. 13)
16. **revenir sur quelque chose** "Je ne *reviens* pourtant pas *sur ce que* j'ai dit." (p. 14)
17. **rendre ridicule** "Monsieur nous *rend* tous *ridicules* au manège." (p. 21)
18. **faire le charme de quelqu'un** "C'est ce qui *fait* la moitié de *ton charme,* imbécile!" (p. 26)
19. **tenir à quelqu'un** "Tu *tiens à elle,* alors?" (p. 29)
20. **être amateur de quelque chose** "Je sais que vous *êtes* des amateurs *de bonne musique.*" (p. 29)

DEUXIÈME ACTE

questions sur le texte

1. Pourquoi la conversation du Premier et du Deuxième Baron crée-t-elle un air de mystère? A quoi le mystérieux sert-il théâtralement parlant?

2. Expliquez la phrase, "Parce qu'un baron qui se pose des questions est un baron malade." (p. 35)

3. Le Quatrième Baron est-il doué du sens de la prophétie, ce qui lui ferait dire, "Faut que tu attendes?" (p. 36) Qu'attend-il au juste?

4. Quelles sont les idées des personnages sur la guerre? sur les soldats? sur le militaire en général? Y discernez-vous de l'ironie? (pp. 37–38)

5. Quelles sont les idées des soldats sur l'honneur? Sont-elles les mêmes que celles du roi? de Becket? (p. 38)

6. Quelles sont les émotions que ressent le roi à l'égard du clergé? (pp. 41–42) Celles de Becket?

7. Pourquoi le dramaturge consacre-t-il tant de moments aux rapports entre le roi et la fille? Est-ce important pour l'intrigue? ou est-ce simplement un à-côté?

8. Que signifie la phrase suivante énoncée par le roi, "Vous savez très bien qu'on finit toujours par s'arranger avec Dieu, sur la terre..." (p. 42)

9. Qu'est-ce que le *Te Deum?* Dans quel livre connu est-ce que l'auteur se moque du *Te Deum?* (p. 43)

10. Y a-t-il un changement subtil dans l'attitude de Becket par rapport à son roi? (p. 43)

11. Pourquoi le Petit Moine portait-il un couteau sous sa robe? Etait-ce de rigueur?

12. Que constatez-vous après la courte scène entre Becket et le Petit Moine?

13. Le roi voit-il clair? Est-il naïf quand il dit, "Je me croyais aimé pour moi-même!" (p. 47)

14. Qu'est-ce que l'immoralité selon Becket? (p. 47)

15. Le conseil que Becket donne au roi, "Il faut être particulièrement courtois avec l'évêque," servirait à quel but? (p. 48)

16. Pourqui les Français se soulèveraient-ils? (p. 50)

17. L'être humain, quelle que soit sa profession, peut-il être acheté, d'après Becket? d'après le roi? (pp. 53–54)

18. Est-ce que Becket est vraiment étonné quand le roi se décide à le faire élire Primat? (p. 54)
19. Quelles sont les réactions de Becket? (p. 55)
20. Les paroles de Becket adressées à Dieu (pp. 57–58) ainsi que sa prière à la fin de l'acte, laissent-elles prévoir un changement d'attitude de la part de Becket?

liste d'expressions à retenir

1. **casser la croûte** "Autour d'un feu de camp, les quatre barons accroupis *cassent la croûte, en silence.*" (p. 34)
2. **se mettre à se questionner** "Si *vous vous mettiez à vous questionner* comme des femmes..." (p. 36)
3. **faire partie de quelque chose.** "Il *en faisait partie, des pertes.*" p. 37)
4. **Il faut croire que** "*Il faut croire qu'*elle avait un petit trou." (p. 37)
5. **prendre à rançon** "Autrefois, on vous *prenait à rançon.*" (p. 37)
6. **jouer un mauvais tour à quelqu'un** "Ça finira par *te jouer un mauvais tour.*" (p. 39)
7. **accorder de l'importance à quelque chose** "Le secret... c'est de ne *leur accorder aucune importance.*" (p. 40)
8. **une partie** (de jeu) "*Une partie de paume* c'est important, ça m'amuse." (p. 40)
9. **reprendre d'une main ce qu'on lâche de l'autre** "Mais ces gens-là s'y entendent admirablement pour *reprendre d'une main ce qu'*ils ont dû *lâcher de l'autre.*" (p. 41)
10. **se laisser prendre quelque chose** "Chez les Plantagenêts on *ne se laisse rien prendre!*" (p. 42)
11. **pour le compte de quelqu'un** "Tu espionnes *pour le compte du clergé?*" (p. 42)
12. **finir par s'arranger avec quelqu'un** "Vous savez très bien qu'on *finit* toujours *par s'arranger avec* Dieu, sur la terre..." (p. 42)
13. **au point où on en est** "Et, *au point où tu en es* il vaut autant pour toi qu'on te croie Français que Saxon." (p. 44)
14. **passer à la question** "Mon petit bonhomme, ils vont te *passer à la question.*" (p. 44)
15. **faire semblant de** "Il a dû y mettre de la malice en choisissant justement cet endroit-là, mais j'*ai fait semblant de* ne pas m'en apercevoir." (pp. 44–45)
16. **à un détail près** "Si c'était pour moi, avoue que le moment est

rudement bien choisi, *à ce détail près* que c'est moi qui tiens le couteau." (p. 45)

17. **prendre quelque chose à son compte** "Et c'est les cloches qui t'ont dit de *reprendre toute la honte à ton compte?*" (p. 45)

18. **tenir à quelque chose** "Mais je *tiens à te garder en* vie, pour l'avoir avec toi un de ces jours." (p. 46)

19. **garder à vue** "Vous allez prendre vos dispositions pour le faire repasser en Angleterre et le faire emmener au couvent où son abbé devra le *garder à vue...*" (p. 46)

20. **compter sur quelqu'un** "Tu sais comme nous pouvons *compter sur les évêques anglais...*" (p. 50)

TROISIÈME ACTE

questions sur le texte

1. Quel genre de vie la reine menait-elle avant de venir en Angleterre? Qui était-elle exactement?

2. Quelle était l'occupation la plus fréquente des femmes à cette époque?

3. Pourquoi le roi est-il irrité?

4. Quelles sont les raisons pour lesquelles la reine mère voit "une marque d'ostentation" dans le fait que Becket a vendu sa vaisselle d'or et tous ses riches habits? (p. 60)

5. Pourquoi le roi s'ennuie-t-il auprès de sa jeune reine? (p. 60)

6. La jeune reine aime-t-elle Becket? (p. 60)

7. Etait-ce normal pour un roi de ne pas savoir lequel de ses trois enfants était l'aîné? Pourquoi le dramaturge souligne-t-il ceci? (p. 61)

8. Pour quelle raison Becket renvoit-il le sceau au roi? (p. 62)

9. Décrivez la réaction du roi quand Becket ne vient pas le voir en personne. (pp. 62–63)

10. Que signifie la phrase du roi, "Je vais apprendre à être seul."? (p. 63)

11. Pourquoi le roi veut-il se confesser? (p. 63)

12. Qu'est-ce qui pousse Gilbert Folliot à dire que la sainteté pour un prêtre est un des pièges "les plus subtils et les plus redoutables du démon"? (p. 64)

13. Comment le roi définit-il l'amitié? (p. 65)
14. Pourquoi l'amour du roi pour Becket s'est-il transformé en haine? La haine est-elle une passion aussi forte que l'amour? (p. 65)
15. Qu'est-ce que le roi vient d'obtenir du Pape? (p. 65)
16. Que signifie l'attitude de Gilbert Folliot vis-à-vis du prêtre qui a été assommé? (p. 71)
17. Que risque Becket par son intransigeance envers le roi?
18. Qui a dit, "Je ne suis pas venu pour apporter la paix mais la guerre"? Pourquoi Becket cite-t-il cette phrase maintenant? (p. 71)
19. Pourquoi Becket ne veut-il pas laisser juger ses prêtres par un tribunal séculier? (pp. 71–72)
20. Comment Becket s'est-il tiré d'affaires devant ses ennemis, les prêtres normands? (p. 77)
21. Que signifie la décision prise par le Pape concernant Becket? (p. 82)
22. Le dramaturge satirise-t-il le Pape et la Papauté en général? Comment? (pp. 84–85)

liste d'expressions à retenir

1. **charger quelqu'un de faire quelque chose** "Elle *m'a chargé... de remettre* cette missive... à Votre Altesse." (p. 62)
2. **faire une bêtise** "*J'ai fait* quelque chose de beaucoup plus grave qu'un péché, Evêque, *une bêtise.*" (p. 63)
3. **imposer quelque chose à quelqu'un** "*J'ai imposé Thomas Becket à votre choix* au concile de Clarendon." (p. 63)
4. **s'incliner devant** "*Nous nous sommes inclinés devant* la main royale." (p. 64)
5. **dans son particulier** "Ceux qui l'approchent *dans son particulier* disent même qu'il se conduit comme un saint homme." (p. 64)
6. **n'en plus pouvoir** "Je *n'en puis plus.*" (p. 65)
7. **convenir de** "Mais je suis le roi, ce qu'il *est convenu d'*appeler ma grandeur m'embarrasse..." (p. 65)
8. **confier quelque chose à quelqu'un** "Je ne *t'ai confié* que *ma haine.*" (p. 67)
9. **arrêter quelque chose** "Nous nous reverrons demain, seigneur évêque, et nous *arrêterons* ensemble *le détail* de notre action." (p. 67)
10. **gare à quelque chose** "Baise l'anneau de Monseigneur et tâche de répondre humblement à ses questions ou *gare à tes fesses.*" (p. 68)

11. **tomber dans le péché**   "Il *est tombé dans le péché* d'orgueil." (p. 68)

12. **relever quelqu'un d'un vœu**   "... nous *vous relevons* pour aujourd'hui *de votre vœu* d'abstinence et nous comptons bien que vous ferez honneur à votre menu." (p. 69)

13. **se tenir**   "Pourquoi *te tiens-tu* si mal?" (p. 69)

14. **attaquer quelqu'un de front**   "Vous avez voulu, contre notre **avis**, *attaquer le roi de front.*" (p. 70)

15. **remettre quelque chose en question**   "*Tout* peut être *remis en question* en Angleterre hormis le fait qu'elle a été conquise et partagée en l'an mille soixante-six." (p. 71)

16. **ne pas donner cher de quelque chose**   "... je *ne donne pas cher de notre liberté* et de notre existence..." (pp. 71–72)

17. **se payer de quelque chose**   "Ne *nous payons* pas *de mots.* (p. 72)

18. **savoir gré à quelqu'un de quelque chose**   "Je *vous saurai gré de m'épargner* le vôtre." (p. 74)

QUATRIÈME ACTE

questions sur le texte

1. Y a-t-il une satire voulue dans l'allusion à la richesse de l'Eglise et à la pauvreté exigée par le Christ? (p. 90)

2. Quels sont les traits de caractère qui se dévoilent lorsque Becket annonce au Supérieur qu'il est encore Archevèque-Primat? (p. 90)

3. De quelle guerre parle Louis en faisant mention de l'Empereur? (p. 90)

4. Becket est-il vraiment martyre ou a-t-il simplement "le goût **du** martyre"? (p. 91)

5. Qu'est-ce qu'un cyclorama? et comment cet objet aide-t-il à donner l'impression sur scène d'une vaste plaine? (p. 92)

6. Le roi Louis est-il fin psychologue? (p. 92)

7. Quel rôle joue le vent (c'est-à-dire au point de vue bruitage sur scène) pour créer l'impression d'effroi et d'anxiété chez les spectateurs? (p. 94)

8. Y a-t-il quelque chose de décevant qui se manifeste dans la conversation entre Becket et le roi? Si oui, quoi? (p. 95)

9. Pourquoi Becket va-t-il résister à la puissance royale de toutes ses forces? (p. 97)
10. Le roi a-t-il bien appris la leçon que Becket lui avait enseignée—d'agir en tant que roi? (p. 97)
11. Que veut dire cette phrase primordiale énoncée par Becket, "Il faut seulement faire, absurdement, ce dont on a été chargé—jusqu'au bout"? (p. 97) Dans quelle mesure reflète-t-elle la philosophie de l'auteur?
12. Décrivez le changement qui s'est produit chez Becket. (p. 98)
13. Becket aime-t-il Dieu? (p. 99)
14. Pourquoi le roi ne donne-t-il pas le baiser de paix à Becket? (p. 100)
15. Comment et par quelles classes de la société Becket est-il reçu à sa rentrée en Angleterre? (p. 109)
16. Pourquoi Becket refuse-t-il de se protéger contre ses assassins?

liste d'expressions à retenir

1. **avoir le goût de** "Vous *avez le goût du martyre?*" (p. 91)
2. **faire des ennuis à quelqu'un** "Il est vrai que c'est sans doute *à moi* que *vous auriez fait des ennuis!*" (p. 92)
3. **quitte à** "Je vais essayer quelque chose, *quitte à* ce que votre maître en profite pour grossir sa note..." (p. 92)
4. **sceller un accord** "Je rencontre Henri dans quelques jours, à la Ferté-Bernard, pour *sceller nos accords.*" (p. 92)
5. **faire ordonner prêtre** "C'est elle qui m'*a fait ordonner prêtre.*" (p. 94)
6. **faire du mal à quelqu'un** "Alors, pourquoi *me fais-tu mal?*" (p. 95)
7. **être en train de** "Tu vois que je *suis en train d'*en crever!" (p. 96)
8. **dans la mesure où** "*Dans la mesure où* j'étais capable d'amour, si, mon prince." (p. 99)
9. **se fier à quelqu'un** "Ne *vous fiez* pas *à* votre roi, tant qu'il ne vous aura pas donné le baiser de paix." (p. 101)
10. **Proverbe:** "L'habit ne fait pas le moine." (p. 101)
11. **fourrer dedans** "... ce sont les Normands qu'on *fourrera dedans.*" (p. 103)
12. **prendre place** "*Prenez place,* messieurs." (p. 105)
13. **payer de mine** "Il ne *paie* guère *de mine.*" (p. 105)
14. **se laisser grignoter** "Je *me suis laissé grignoter* quelques articles, l'autre jour, mais je l'attendais à ce tournant-la" (p. 107)

15. **en avoir assez**   "Arrêtez, mon Dieu, *j'en ai assez!*" (p. 110)
16. **tout compte fait**   "L'honneur de Dieu, messieurs, est une bonne chose et on gagne, *tout compte fait*, à l'avoir de son côté." (p. 114)

QUESTIONS GÉNÉRALES

1. Voyez-vous une influence existentialiste dans cette pièce?
2. Comment Anouilh crée-t-il l'atmosphère? la couleur locale?
3. Quel rôle jouait femme au Moyen Âge?
4. Y a-t-il un élément de cruauté dans cette pièce? Si oui, lequel?
5. Faites une comparaison entre l'attitude envers la guerre de l'homme du Moyen Âge et de l'homme moderne.
6. Pourquoi le dramaturge fait-il grand cas de la différence entre les Saxons et les Normands? Quels étaient leurs rapports?
7. Becket trouve asile chez quel roi de France? Quels sont les rapports entre la France et l'Angleterre au XIIe siècle?
8. Quel genre d'amour le roi Henri éprouve-t-il pour Becket?
9. Faites une comparaison entre la conception de l'absurde chez Sartre et celle démontrée chez Anouilh dans cette pièce. (*cf.* pp. 97–98)
10. Quelle impression le roi crée-t-il en se laissant aller à des sanglots, etc.? Faites une comparaison entre son attitude et son comportement dans la pièce et ceux d'autres rois comme Charlemagne, Henri VIII, Agamemnon, par exemple.
11. Faites une comparaison entre le *Becket* d'Anouilh et *Murder in the Cathedral* de T. S. Eliot.

vocabulary

In this vocabulary the following abbreviations are used:

f.— feminine
m.— masculine
pl.— plural
p.p.— past participle

In the vocabulary those words with which students can reasonably be expected to be acquainted have been omitted; the same procedure is followed with words that are identical or very nearly identical in form and meaning in the two languages, and expressions that have been explained in the footnotes.

Only the masculine form is given of adjectives which remain unchanged or simply add e to form the feminine. The feminine of other adjectives is given in full.

abaisser to humble
abasourdi dumbfounded
abbattre *p.p.* **abattu** cut down, kill, defeat
abbaye *f.* abbey
abbé *m.* priest, abbot
abîme *m.* chasm, abyss
abîmé engulfed in
abord: d'— at first
aborder to approach, land
abscons recondite, abstruse
accord *m.* chord, agreement
accord: d'— agreed; **être —** to agree
accorder to accommodate, reconcile
accroc *m.* tear, rent, snag
accroché hung

accrocher to hang up, hook up
accroupi squatting, crouching
s'accroupir to squat, crouch
s'acharner to set upon obstinately
acheter to buy
achever to finish
à-coté *m.* aside
acquis bought; **il nous est —** he is ours
s'acquitter to be exempt from
adjuger to award
adjurer to call upon, beseech
admettre to maintain
affaire *f.* job, matter; **avoir — à** to deal with; **se tirer d'—** to extricate oneself
affairé busy, bustling

affaires *f.* business, affairs; **faire ses —** to attend to one's affairs

affectionner to affect, to be fond of

s'affirmer to become more pronounced

affolé distraught, perturbed

affront, *m.* snub, affront; **faire un – à** to insult

afin que so that

agacé annoyed

agacement *m.* irritation

s'agenouiller to kneel down

agir to act; **s'— de** to be a question of

agissant acting

s'agiter to move

ahuri bewildered

aïeul, e, *m., f.* grandfather, grandmother, ancestor

aigre sour, bitter

aigu, aiguë sharp

ailleurs: d'— in fact, besides, incidentally, you know

aîné older, oldest

aîné *m.* the older one

ainsi thus; **– que** as well as

air *m.* air, expression, appearance; **avoir l'— de** to look like, seem

aise *f.* ease, comfort; **roter d'—** to belch freely

ajouter to add

allée *f.* aisle

allègre blithe, happily

aller to go; **allons-y** come on, let's go; **— au-devant de quelqu'un** to intercept, go out to meet; **– de soi** as a matter of course; **comme vous y allez** not so fast; **on y va** let's go; **se laisser —** to yield

Altesse *f.* Highness

altier, altière lofty, haughty

âme *f.* soul

s'améliorer to get better, improve

amener to take, bring

amer, amère bitter

amertume *f.* bitterness

ameuter to rouse, stir

amical friendly

amitié *f.* friendship

s'amollir to soften, grow gentle

amorce *f.* suggestion

amorphe formless, amorphous

s'amuser to enjoy oneself, have a good time

an *m.* year; **au bout de l'—** at the end of the year

ancien, ancienne former

âne *m.* donkey

angoisse *f.* anguish

anneau *m.* ring

apaisement *m.* appeasement

apaiser to appease

apercevoir *p.p.* **aperçu** to see; **s'— p.p. s'est aperçu** to notice

aplani smoothed out

apparaître to appear

appartenir to belong to

appel *m.* call

appelé *m.* person with a religious vocation

appeler to call; **en – à** to have recourse to

appliqué applying oneself, working hard

apporter to bring

apprendre *p.p.* **appris** to teach; learn, come to know

appui *m.* support

appuyé leaning

après after; **d'—** according to

archevêque *m.* archbishop; **archevêque-primat** *m.* archbishop primate

archidiacre *m.* archdeacon

argent *m.* silver, money

argutie *f.* quibble

arracher to snatch, uproot

s'arranger to manage, contrive, settle, turn out right

arrêt *m.* stopping

arrêter to stop, arrest, settle, determine

arrière! stand back!

arrière *f.* back, rear; **en — de** behind; **l'— -tente** room of a tent
arrière *m.* rear (of the army)
arriver to occur, come
asile *m.* asylum
s'asseoir *p.p.* **s'est assis** to sit down
assez rather, enough
assiette *f.* plate
assommer to fell, stun, knock down
s'assoupir to doze off
assujettir to subdue
attendre to wait for, wait, await, expect
s'attendrir to soften, be moved
attendrissant touching
attente *f.* waiting
atterrer to bowl over
attirer to attract, draw
attiser to stir, arouse
aube *f.* dawn
aucun none, no, no one
aumônier *m.* chaplain
auprès de with
aussi also, as, so
autant as much, just as well; **— que** as much as; **d'— plus que** all the more, since; **valoir —** to be just as well
autel *m.* altar
autour around
autre other
autrefois formerly
autrement differently, otherwise
avaler to swallow
avant before, in front, first; **en — sur** preceding
avant-scène *f.* front of the stage
avenir *m.* future
avertissement *m.* warning
aveugler to blind
avis *m.* advice, opinion
aviser to notice
avoir à to have to; **il y a** ago
avouer to admit

bâfrer to guzzle
bâiller to yawn
baiser to kiss
baiser *m.* kiss
baissé bowed
baisser to lower, grow dim
balbutier to stammer
balluchon *m.* bundle
bambin *m.* tiny tot
bannir to banish
barbe *f.* beard
barque *f.* boat
barre *f.* helm; **l'homme de —** helmsman
barrer to steer
bas, basse low; **tout —** very softly
bas *m.* bottom; **au — de** at the bottom of; **de — en haut** from the bottom up
basculer to topple
bataille *f.* battle
bâtard *m.* bastard
bateau *m.* ship
bâton *m.* stick
battant *m.* door leaf; **porte à deux —s** double doors
battement *m.* beat
battre *p.p.* **battu** to beat; **se —** *p.p.* **s'est battu** to fight
bavarder to chatter
beau, belle handsome, beautiful; **bel et bien** quite, entirely; **faire —** to be nice weather
bénéfice *m.* profit, earnings
bénir to bless
bénit blessed
benoîtement sanctimoniously
besogne *f.* work, labor, toil
besoin *m.* need; **au —** if need be; **avoir — de** to need
bête stupid
bête *f.* animal, beast
bêtise *f.* stupidity
bien very, indeed, well; **bel et —** quite, entirely; **— entendu** of course

bien *m.* good; **biens** *pl.* possessions; **– des** many; **être –** to be comfortable

bientôt soon

bienveillant benevolent

bilboquet *m.* cup-and-ball (game)

blanc, blanche white

blanchâtre whitish

blême livid

blesser to wound

bœuf *m.* ox

boire *p.p.* **bu** to drink **il boit sec** he is a hard drinker; **– le bouillon** to swallow a mouthful

bois *m.* woods, wood, firewood

bon, bonne good; **une bonne fois** once and for all; **pour de –** for real

bondir to leap, bounce up

bonheur *m.* happiness

bonhomme goodnaturedly

bonnement simply; **tout –** quite simply

bonnet *m.* cap, hood; **le gros –** bigwig

borborygme *m.* rumbling in the bowels

bord *m.* side, board; **à –** on board ship

bordée *f.* tack

borné narrow-minded

bouche *f.* mouth

bouchée *f.* mouthful

boucherie *f.* slaughter

bouchonner to rub down

bouder to sulk, pout, be cool towards

boudeur, boudeuse sulky, moody

bouger to move, budge

bougre *m.* chap, fellow

bouillon *m.* broth; **boire le –** to swallow a mouthful

boulet *m.* ball (and chain)

se bourrer to stuff oneself

bourru rough, surly, rude

bourse *f.* moneybag

bousculer to manhandle, jostle

bout *m.* tip, end; **au – de** at the top of, at the end of; **au – de bras** at arm's length; **un – de temps** a short while; **pousser à –** to exasperate

brandir to flourish, brandish

bras *m.* arm; **– dessus, – dessous** arm-in-arm; **à bout de –** at arm's length

brebis *f.* sheep

bredouiller to stammer, mutter

briser to crush, shatter, smash

broder to embroider

brouillard *m.* dense fog

bruit *m.* noise

brûler to burn

brume *f.* fog, mist

bruyamment noisily, loud

bûche *f.* log

bûcheron *m.* woodcutter

bure *f.* frock

but *m.* purpose

buté firm

ça that; **– va** all right

cabane *f.* hut

cabinet *m.* chamber, closet

cabrer to kick

cacher to hide

cachot *m.* cell, prison

cadeau *m.* present

cafard *m.* fear; **faire le –** to give (someone) the blues

cahute *f.* hut

caille *f.* quail

calcul *m.* self-interest

canaille *f.* scoundrel

canal *m.* medium, channel

cantonade *f.* wings; **à la –** off-stage

capuchon *m.* hood

car for

carne *f.* (*pop.*) nag

carreau *m.* tile, flagstone

cas *m.* case; **le – écheant** should the occasion arise; **en tout –** in any case; **faire grand – de** to give importance to

casque f. helmet

casqué helmeted

casser to break, shatter; **– la crôute** to break bread

cause f. cause, reason; **remettre en — to question**

céder to give in

ceinturon m. belt worn under military uniforms and used to hold equipment

celui, celle, ceux the one; **celui-là** that one

cellule f. cell

cent one hundred; **centième** m. hundreth

cependant however

certes certainly

cesser to cease, stop

chaise f. chair

champ de bataille m. battlefield

chancelier m. chancellor

chancellerie f. chancellor's office

chandelle f. candle

chanoine m. canon

chant m. song

chape f. cope

chapitre m. chapter **sur ce — -là** on this subject

chardon m. thistle

charge f. office, duty, responsibility

chargé heavy, burdened

charger entrust; **se — de** to undertake to, take care of, assume responsibility for

chasse f. hunt; **– au faucon** hawking

chassé expelled

chasser to turn out, drive away, expel

châtiment m. punishment

chaud hot; **faire —** to be warm

chaussure f. shoe

chavirer to capsize

chef d'œuvre m. masterpiece

chemin m. road, path; **– de traverse** shortcut

chemise f. shirt; **– de rechange** change of shirt

cher, chère expensive, costly; **coûter — to be expensive**

cheval m. horse; **à —** on horseback

chevreuil m. roe deer

chez in

chique f. quid, chew (of tobacco), mouthful of tobacco

chœur m. choir

choix m. choice

chrétienté f. Christianity

ciel m. heaven

cilice m. hair shirt

cintres m. pl. flies (above the stage)

ciseaux, m. pl. scissors, clippers; **coup de ciseau** clipping

citation f. summons

citer to quote, summon; **– devant la justice** to subpoena a witness

clamer to shout

claquer to snap, clap, bang; **– des dents** with teeth chattering

clerc m. cleric

clergé m. clergy

cligner to blink

cloche f. bell

cloison f. partition

cocasse funny

cochon m. pig, swine

coercition f. coercion

cœur m. heart; **de bon —** in good faith

coffre m. chest

cogner to strike, knock, bang

coiffé donned, put on the head, wearing

coiffer to comb; **se —** to wear on one's head

coin m. corner; **un regard en —** side glance

colère f. anger

commander to order
comme as, like
commission *f.* errand
commodément comfortably
commodité *f.* comfort
compagnie *f.* company; **de –** together
comparaître to appear
compenser to make up for
complainte *f.* plaintive ballad, song
complaisance *f.* accommodating attitude
complice *m.* accomplice
comportement *m.* behavior
comporter to entail
compromettre to compromise
comptable accountable
compte *m.* count, reckoning, account; **faire les –s** to make a reckoning, keep accounts; **en fin de —** in the final analysis; **pour le – de** on behalf of; **tout – fait** in the long run
compter to intend; **– bien** to expect; **– sur** to count on
comté *m.* county, shire
concilier (se) to be reconciled
conclure to conclude
concurrencer to compete with
conduire to take, lead; **se –** to conduct oneself, behave oneself
confiance *f.* confidence
confiant trusting
confier to entrust, to confide; **se –** to put one's trust in someone
se confondre to become identical, coincide
congé *m.* leave; **être en –** to be on vacation
congédier to dismiss, send away
congestionné flushed
conjoncture *f.* conjuncture; **dans la – présente** in the present circumstances
conquérir *p.p.* **conquis** to conquer
conquête *f.* conquest

conseil *m.* advice, counsel, council; **salle du –** council chamber; **– privé** privy council
conseiller to counsel, advise
conseiller *m.* counselor
consigne *f.* order, instruction
constater to ascertain
conte *m.* count
contenir contain
contenu *m.* contents
contourner to go around
contre against
à contrecœur unwillingly, reluctantly
contresens *m.* misinterpretation
contrôler to check
convaincre *p.p.* **convaincu** to convince
convaincu convicted
convenir *p.p.* **convenu** to befit, admit, agree
convenu agreed upon
convers lay, secular; **moine —** lay monk
convoquer to summon
coque *f.* hull
coquet, coquette smart; **– somme** a tidy sum
coquetterie *f.* coquettishness
corde *f.* rope
corps *m.* body
côte *f.* coast
côté *m.* side; **à –** to the next room; **à — de** compared to, next to; **d'un autre –** on the other hand; **à son –** on one's side; **de –** sideways; **du –** to the side; **sur le –** to one side
cotte *f.* coat of mail
couché in bed, stretched out
se coucher to go to bed
coude *m.* elbow
couillon *m.* (*pop.*) jerk
couler to flow
coulisses *f. pl.* the wings; **en –** from the wings
coup *m.* blow, move, knocking; **— de dague** dagger wound; **— de**

dent bite; **avoir un rude — d'épée** to wield a mean sword; **d'un — d'œil** at a glance; **— de maître** master stroke; **– de pied** kick; **tout d'un –** suddenly; **– de lance** lance thrust

coupe *f.* cup

coupe-jarret *m.* brigand, assassin

couper to cut, interrupt; **– court** to cut short

cour *f.* courtyard, court

courant *m.* current; **– d'air** draft; **être au –** to be aware

courber to curve, bend

courir *p.p.* **couru** to run

couronne *f.* crown

couronnement *m.* crowning

cours *m.* course; **au — de** through

courser to chase

court short

courtois polite; **faire le –** to play at being polite

courtoisie *f.* courtesy

coussin *m.* cushion

couteau *m.* knife

coutelas *m.* knife

coûter *to* cost; **– cher** to be expensive; **coûte que coûte** at any cost

coutume *f.* custom

couvent *m.* convent

couvert *m.* place setting; **dresser le –** set the table

couverture *f.* coverlet, blanket

cracher to spit, spit out

craindre to fear

craintif fearful

cramponné clinging to

crapule *f.* scum

crasseux, crasseuse dirty

créer to create

crever to die; gouge out; **– de faim** to die of hunger; **– de froid** to die of cold

crier to shout

crin *m.* horsehair

crise *f.* fit

croire to believe, think; **– bien** to certainly think; **faire –** to lead to believe

croix *f.* cross

croquer to munch away at

crosse *f.* golf club, hockey stick, staff

crotte *f.* dung

croupe *f.* rump

croûte *f.* scab

cru hard, harsh

cruauté *f.* cruelty

cuir *m.* leather

cuisine *f.* kitchen, intrigue; **faire la –** to intrigue

cuisinier *m.* cook

cul *m.* rear end

cure *f.* rectory

curé *m.* parish priest

curer to pick; **se — les dents** to pick one's teeth

dague *f.* dagger

dalle *f.* flagstone

damer le pion to outwit, outdo

davantage more

débattre to debate; **se –** to struggle

débile weak

déborder to overflow

debout standing

débusquer to come out of ambush

décevoir *p.p.* **déçu** to deceive, disappoint

déchaîné unleashed

déchiffrer to decipher

déchirer to tear

déconseiller to advise against, warn against

décor *m.* stage set

découvrir to disclose

décrire to describe

décrocher to unhook

dedans in

défaire to unfasten, free

défait torn apart, undone

défaut *m.* defect; **condamner par –** condemn by default

défi *m.* challenge

défier to defy

défiguré with features distorted

définitif final; **en definitive** finally, in short, in a word

se dégager to free oneself, disengage oneself

dégainer to unsheathe

se déganter to remove one's gloves

dégoûtant disgusting

dégoûté disgusted

dégrafer to unfasten

dégrossir to polish, make less uncouth

déguerpir to clear out

déguisé disguised

dehors out, outside; **en – de** with the exception of

délai *m.* period of time, time

délier to absolve

demander to ask; **se –** to wonder

demeurer to remain, live in

démonté flustered

démontré demonstrated

dénier to deny, repudiate

dent *f.* tooth; **claquer des –s** with teeth chattering; **un coup de –** bite; **se curer les –s** to pick one's teeth

départ *m.* departure; **au –** from the outset

dépasser to protrude

dépêche *f.* dispatch

déplaire to displease

dépouiller to examine, deprive, strip

depuis for

déranger to disturb, upset

dérisoire ridiculous

dernier, dernière last

dérober to steal; **se –** to elude, shirk, avade, escape; **se – à la glèbe** to escape serfdom

déroulé unfolded

dérouler to unwind

derrière behind

derrière *m.* behind; **se tanner le –** to tan one's hide

dès from the time of, from the age of; **–que** as soon as

désarroi *m.* confusion

désaveu *m.* disavowal

désemparé helpless

désertique barren

désespérer to cause to despair, despair

déshabiller to undress

désigner to point out

désormais henceforth

se désosser to dislocate one's bones

desséché dried up

dessein *m.* project, plan, design, intention

dessus on; **au – –** over; **là – –** over this

détail *m.* detail; **à ce – près** except that

détourner to turn away

deux two; **tous les –** both, both of us, both of you

devant before, in front of, facing; **regarder –** to look straight ahead; **aller au – – de** to intercept, to go out to meet

devenir *p.p.* **devenu** to become

deviner to guess

déviriliser to emasculate

dévisager to stare at

se dévoiler to be revealed

devoir *m.* duty, obligation

devoir *p.p.* **dû** to have to; **se –** to be owed

diable *m.* devil

diacre *m.* deacon

différend *m.* dispute

digérer to digest

digne worthy

dignement with dignity

dire to say, to tell; **–que** to think that

se diriger to go toward

discipline *f.* scourge

disparaître to disappear

dissimulé concealed

doigt *m.* finger

dommage *m.* pity, hurt; **il est –** it is unfortunate

don *m.* gift

donc so, therefore

donner to give; **donnant donnant** give and take; **étant donné** given

dont of which, with which

doré golden

dorure *f.* gilt

dos *m.* back

doter to endow

doucement softly, quietly, gently

douceur *f.* kindness, gentleness

douche *f.* shower

doué endowed

doute *m.* doubt; **sans –** undoubtedly

douzaine *f.* dozen

doyen *m.* dean

dragée *f.* sugared almond

dramaturge *m.* dramatist

drap *m.* sheet

dressé set up

se dresser to stand up, rise, sit up

droit straight; **se tenir –** to sit straight

droit *m.* law, right; **avoir — (de) (à)** to have the right

droite *f.* right; **à -** on the right

drôle funny

dûment duly

dur hard

durant during

se durcir to harden

durcissement *m.* hardening

durement harshly

durer to last

ébaucher to sketch; **– le geste** to make the gesture

ébouriffer to ruffle, tousle

écarter to open, remove; **s'—** to open

échapper to escape; **– bel** have a narrow escape

éclair *m.* flash of lightning

éclairage *m.* lighting

éclaircir to enlighten

éclairer to brighten

éclat *m.* burst; **– de rire** burst of laughter

éclatant brilliant

éclater to burst, peal; **– de rire** to burst out laughing

écœurement *m.* discouragement

écoper to bail, scoop

écrit written

s'écrouler to crumble, fall down, collapse

écu *m.* shield

écueil *m.* danger, risk

écuelle *f.* bowl

écumant foaming

écuyer *m.* armor-bearer, squire; **– tranchant** gentleman-carver

édredon *m.* comforter

effectivement actually, in fact

effrayé frightened

égaler to equal, match

égard *m.* attention, deference; **à l' — de** towards

égaré lost, distracted

s'égarer to wander

égorger to butcher, slaughter, strangle

élever to bring up

élire *p.p.* élu to elect

éloigné far from

éloigner to lead astray; **s'—** to move off, withdraw

embêter to annoy

embrouillé sleepy, drowsy

s'embrouiller to be confused

embrun *m.* spray

emmener to take, lead away

empêcher to prevent; **n'empêche que** the fact remains; **s'—** to restrain oneself

empiler to pile up

emploi *m.* use, usage

empoisonner to poison
emporter to take with
emprunter to borrow
ému moved
encadrer to surround
en-cas *m.* emergency snack
enchâssé studded
enchevêtré indistinct
encombrant cumbersome
encombré encumbered
encore still, still more, again
endroit *m.* place
endurci hardened
enfantillage *m.* childishness
enfer *m.* hell
enfermé shut in
enfler to swell; **– la voix** to raise one's voice
enfoncer to break down; **s'–** to go off into
enfourcher to mount
s'enfuir to flee
engelure *m.* chilblain
s'engloutir to sink
enjoindre to order
enlèvement *m.* carrying off
enlever to remove, take off
ennui *m.* difficulty, problem, trouble, boredom
ennuyé bored
s'ennuyer to be bored
ennuyeux, ennuyeuse annoying, boring
énoncé expressed
enquête *f.* investigation
s'enrhumer to catch a cold
ensanglanté bloody
entendre *p.p.* **entendu** to hear, understand, mean, expect **– dire** to hear, say; **bien entendu** of course
s'entendre *p.p.* **s'est entendu** to come to an understanding, agree, understand each other
entourer to surround
entraîner to carry along, drag along
entreprendre to undertake

entretien *m.* support
entrouvrir to open partially; **s'–** to part, half open
envahir to overcome, invade
envers toward
envie *f.* desire; **avoir – de** to want to
envisagé considered
envoyer to send; **– prendre** to send for
épais, épaisse thick, heavy
épargner to spare
épaule *f.* shoulder
epée *f.* sword; **avoir un rude coup d' –** to wield a mean sword; **un coup d'–** stroke of the sword; **l'– au poing** sword drawn; **tirer l'–** to draw a sword
épieu *m.* pike, boar-spear
épine *f.* thorn
époque *f.* era, season, period
épouser to marry
épouvanté frightened
époux *m.* husband
s'éprendre to fall in love
épreuve *f.* test, proof, trial
éprouver to feel
équipage *m.* crew
ère *f.* era
escabeau *m.* stool
escamoté pilfered, made off with
escarcelle *f.* wallet
esclavage *m.* slavery
espérer to hope, hope for, await
espion *m.* spy
espionner to spy
esprit *m.* spirit
esquiver to avoid
essayer to try
est *m.* east
estoc *m.* rapier; **frapper d'– et de taille** to cut and thrust
étable *f.* stable
étalon *m.* stallion
état *m.* state, number; **en –** in order; **– de choses** circumstances

s'éteindre *p.p.* éteint to go out

étendard *m.* standard

étendre to stretch; **– raide** to kill at one stroke

s'étendre to stretch out

éternuer to sneeze

étincelant flashing, gleaming

étiquette *f.* label

étonnant astonishing

étonner to surprise; s'— to be surprised

étouffer to choke, smother

étrangler to strangle, choke

être *m.* being

étrenner to christen, use for the first time

étriqué skimpy

étroitement closely

étuve *f.* vapor baths

évader to escape

s'évanouir to faint

évêque *m.* bishop

évêché *m.* bishopric

s'exercer to practice

exigeant demanding

exigence *f.* demand

exiger to demand

expédier to send

facilement easily

façon *f.* way

fade flat, tasteless, insipid

faible *m.* weak person

faiblesse *f.* weakness

faiblir to grow weaker

faim *f.* hunger; **crever de –** to die of hunger

faire *p.p.* fait to make, do; **– croire** to lead to believe; **— envoyer** to send for; **— froid** to be cold; **qu'il faisait un froid** how cold it was; **rien n'y fait** nothing works; **— fausse route** to go up the wrong alley; **— grand cas de** to give importance to; **se —** to become

fait *m.* fact; **au –** as a matter of fact

falloir *p.p.* fallu must, be necessary; **il faut** must, be necessary

fantôme *m.* ghost

fardeau *m.* burden

faucon *m.* falcon, hawk; **la chasse au –** hawking

se faufiler to slip in

faute *f.* fault; **prendre en –** to be caught in one's own lie

fauteuil *m.* armchair; **se renverser sur son —** to fall into his armchair

féal faithful

feindre *p.p.* feint to make believe, feign, simulate

fente *f.* crack, split

fer *m.* sword, iron; **plonger le –** plunge the sword

ferme steadily, stoutly; **tenir –** to hold fast

fermé impenetrable, irresponsive, closed, tight-lipped

fermement firmly

fermer to close, shut; **— la marche** to bring up the rear; **se —** to become inscrutable

fesses *f. pl.* buttocks

fête *f.* feast, part; **faire la –** to carouse

feu *m.* fire; **– de paille** flash in the pan

fichu stupid; **être — de** to be capable of, be liable to

fidèle *m.* faithful one

fielleux, fielleuse bitter

fier proud; **faire le —** to put on airs

se fier à to rely on

figé stiff

se figer to stiffen

figure *f.* face

figurer to represent, form; **se –** to imagine

fil *m.* thread

file *f.* chain

filer to hurry up, get going, get out, scram, get along

filouter to swindle, cheat

fin shrewd, subtle

fin *f.* ending, end; **à la —** finally; **en — de compte** in the final analysis

finasser to finesse

flamboyant flashing, glowing

flamme *f.* love

se flanquer to throw oneself

foi *f.* faith

fois *f.* time; **une bonne —** once and for all

foncer to rush

fond *m.* back, front stage; **au —** really, anyway

fonte *f.* holster of a saddle

force *f.* strength; **à — de** because, by dint of

forfaiture *f.* maladministration

forger to fabricate, invent, make up

fors except

fou *m.* madman

fougueux fiery

fouiller to search, look about

foule *f.* crowd

fourchette *f.* fork

fourré furred

fourrer to shove into

fourrure *f.* fur

foutre (*fam.*) dump

foyer *m.* home

fracas *m.* noise, din

frais, fraîche fresh

frais *m. pl.* expenses; **la note de —** expense account

franchise *f.* frankness

frapper to strike, hit; **— à la porte** to knock at the door

frissonner to shudder, tremble

froid *m.* cold; **faire —** to be cold; **prendre —** to catch cold

froissement *m.* rustling

front *m.* forehead, front; **attaquer de —** to make a frontal attack

frotter to rub

fuir to flee, escape; **— la glèbe** to escape serfdom

fumée *f.* smoke

gage *m.* security

gagner to overcome, win, gain; **— du temps** save time

gaillard *m.* strapping fellow

gaillardement vigorously

gamin *m.* urchin

gant *m.* glove

garant *m.* guarantee; **se porter — de** to guarantee

garce *f.* wench, strumpet

garde *f.* hilt (of a sword)

garde-à-vous attention

garder to keep

gare à watch out for

garnir to decorate

gars *m.* (*fam.*) fellow

gaspiller to waste

gauche left

geler to freeze

gémir to groan

gémissement *m.* groaning, moaning

gêné embarrassed

gêner to hinder, bother

genièvre *m.* juniper

génisse *f.* heifer

genou *m.* knee

genre *m.* type, kind

gens *m., f. pl.* people

geste *m.* gesture

gestion *f.* administration, conduct

gibier *m.* game

gifle *f.* slap

glace *f.* ice

glacé cold

glapir yelp

glèbe *f.* clod, sod; **fuir la —** to escape serfdom

goguenard jeering, mocking

gourde *f.* water-vessel

goût *m.* taste

grâce *f.* grace; **— à** thanks to

grandir to increase, grow, grow louder

grange *f.* barn

gras, grasse wanton

gratter to scratch, irritate, itch

gravé engraved

grenouille *f.* frog

grésiller to sputter, sizzle

grève *f.* beach; en – on strike

grignoter to nibble, gnaw

grille *f.* railing

grincer to grind

gris gray

grogner to growl

grommeler to grumble

gronder to roar

gros, grosse fat, big, loud, filled, exaggerated

grossir to increase

grouiller to crawl, move

grue *f.* crane; faire le pied de – to cool one's heels, be kept waiting

guenille *f.* rag

guère (*used with* ne...) hardly

guérir to cure

guerre *f.* war

guetter to be on the lookout for

gueule *f.* (*slang*) mug

habile clever

habiller to dress; s'— get dressed

habit *m.* clothes

habitude: d'— generally

s'habituer à to become accustomed to

hache *f.* hatchet

haie *f.* hedge; faire la – to line (the streets)

haillon *m.* rag

haine *f.* hatred

haineux, haineuse hateful

haïr *p.p.* haï to hate

haletant breathless

han *m.* grunt

hardes *f. pl.* old clothes, rags

hasard *m.* chance; à tout – on the off chance

hâtif, hâtive hasty

haut high, raised; de bas en – from the bottom up; en – lieu high placed; d'assez – rather haughtily

hautain haughty

hébété dazed

héraut *m.* herald

hérissé spiked

hérisson *m.* porcupine

heure *f.* hour, time; tout à l'— later, in a little while, a little while ago

hilare hilarious

hirsute hairy, hirsute

histoire *f.* story

honnête honest

honte *f.* shame; avoir – to be ashamed; faire – à to shame

hoquet *m.* hiccup

horaire *m.* time-table, schedule

hormis except

hors outside, out; – de lui beside himself; – de combat out of action

huilé oiled

humeur *f.* humor, mood; avec – testily

hurlement *m.* howl, shriek

hurler to scream, shout

ignorer to be unaware, not know

s'illuminer to clarify

impolitique ill-advised

n'importe quel any

impressionné impressed

impudeur *f.* immodesty

impuissance *f.* powerlessness, helplessness

impuissant powerless

impuni unpunished

s'incliner to bend, bow

inconnu unknown

incroyable unbelievable

indice *m.* indication

indigne unworthy

indigné indignant, outraged

injure *f.* insult

inquiet, inquiète worried
inquiétant disturbing, disquieting
s'inquiéter to worry
inquiétude *f.* concern
insaisissable elusive
insouciant carefree
instamment urgently
intelligence *f.* understanding
intendant *m.* manager, intendant
intention *f.* intention; **prêter l'—**
à to accuse someone of wanting
to
interdire to forbid
interdit amazed, dumbfounded
intérêt *m.* interest; **voir l'—** to
see the point of
inutile useless
irréductible unyielding
issu de descended from
issue *f.* exit
ivre drunk

jamais ever, never; **ne...** never
jambe *f.* leg
jeter to cast, throw
jeu *m.* game, chessboard
jeûne *m.* fast
jeunesse *f.* youth; **il faut que — se**
passe youth will have its fling
joie *f.* joy
jouer to play; **— sa vie** to play out
jour *m.* day; **tout le long du —**
all day long
joyau, joyaux *m.* jewel
joyeux, joyeuse happy, joyful,
cheerful, glad
jument *f.* mare
jupe *f.* skirt
jurer to swear; clash
jusque until, up to, as far as; **jusqu'**
à ce que until; **jusqu' ici** up to
now
juste right; **au —** exactly
justement exactly
justiciable subject to

là-bas over there, yonder, there

labourer to plough
lâche *m.* coward
lâcher to let go, unleash
lacune *f.* gap
laïc *m.* layman
laid ugly
laisser to let, leave, permit; **se —**
to allow oneself; **se — aller to**
yield
laissez-passer *m.* pass
lame *f.* blade, wave
lancer to throw, hurl, set against;
– la mode start the fashion
lande *f.* heath
lansquenet *m.* foot soldier
lapin *m.* rabbit
lardé covered with wounds
larme *f.* tear
las, lasse tired
latéral side
léger, légère light, flighty, nimble
légèrement slightly
légèreté *f.* flightiness
lent slow
lever to raise, lift, adjourn; **se –**
to stand up, get up; **— les troupes**
to call up the troops
lèvre *f.* lip
libre free
lien *m.* hook
lier to tie, fasten
lieu *m.* place; **au — de** instead of
linge *m.* linen, cloth; **– de bain**
bath linen
lit *m.* bed; **le — de repos** couch
litière *f.* litter
se livrer to submit to
loi *f.* law
loin far; **au -** in the distance
lointain distant
loisir *m.* leisure
long, longue long; **en savoir plus—**
to know more about; **tout le —**
de all along
louche shady
loucher to be cross-eyed
loup *m.* wolf

lourd heavy
lueur *f.* glimmer
lutte *f.* struggle

mâchoire *f.* jaw; **– de tenaille** arm of a pincer
maigre thin
maille *f.* link of mail; **cotte de —s** coat of mail
main *f.* hand; **à la –** in one's hand; **à pleines —s** generously
maître *m.* master
maître-autel *m.* main altar
maîtresse *f.* mistress
maladresse *f.* clumsiness, awkwardness
maladroit clumsy, awkward
malentendu *m.* misunderstanding
malgré in spite of
malheur *m.* misfortune
malheureusement unfortunately
malin clever, evil
malsain unhealthy
maltraité ill-treated, harshly treated
mamelle *f.* breast
manche *f.* sleeve; **retrousser les —s** to roll up one's sleeves
manège *m.* ring, pace
manquer (de) to lack; almost
manteau *m.* mantle, cloak
marbre *m.* marble
marchand *m.* merchant
marche *f.* gait, march, step; **fermer la —** to bring up the rear; **se mettre en —** to set out
marché *m.* market; **par-dessus le –** into the bargain, on top of that
marié *m.* groom
marinier *m.* mariner
marmonner to mutter
marquer to mark, show; **– un point** to score a point
marron *m.* (*fam.*) face
martre *m.* martin
masque *m.* face
matelas *m.* mattress

matin *m.* morning; **au petit –** early in the morning
Maures *m. pl.* Moors
mauvais bad, ugly, rough
méchanceté *f.* wickedness, cruelty
méchant wicked
méconnaître *p.p.* **méconnu** to underrate
médisance *f.* slander
médusé petrified
méfiance *f.* distrust
méfiant distrustful
se méfier de to beware of
meilleur better
meilleur *m.* best
mélopée *f.* chant
même even, same; **de —** likewise; **– pas** not even; **tout de —** in any case, anyway
mendier to beg
mener to lead
meneur *m.* leader
mensonge *m.* lie
mentir to lie
menu slender
mépris *m.* contempt, scorn, disdain
mépriser to disdain
messe *f.* mass
mesure *f.* measure, ration; **dans la – où** insofar as
métier *m.* business, trade
mettre to put; **– en cause** to question; **– au point** to bring up to date; **se – à** to begin; **se – en marche** to set out
meuble *m.* furniture
meurtre *m.* murder
miauler to miaow
miel *m.* honey
mieux better
mieux *m.* best
milieu *m.* middle; **au – de** in the middle of; **en plein –** right in the middle
minauder to simper
mince slim

mine *f.* face, expression, look; **payer de —** to be good-looking, be striking in appearance; **sur sa bonne —** on its good looks

mode *f.* style; **lancer une —** to start a fashion

mœurs *f. pl.* standards, morality, criteria

moindre least, lowest

moine *m.* monk; **— convers** lay monk

moins less; **au—** at least; **tout au —** at least, at the very least

moisir to rot

moitié *f.* half

monter to go up, ride, set up; **— à cheval** to ride horseback

se moquer de to make fun of

morceau *m.* piece

mordre to bite

morsure *f.* bite

mort *f.* death

mort, morte *m., f.* dead person

mouche *f.* fly

mourir *p.p.* **mort** to die

mouton *m.* sheep; **revenons à nos —s** let's get back to the subject

moyen *m.* means

moyen âge *m.* Middle Ages

moyennant at the cost of

muet, muette mute

mutin *m.* rebellious person

nain *m.* dwarf

naître *p.p.* **né** to be born, arise, come forth

narguer to taunt

narine *f.* nostril

navire *m.* ship

navré terribly sorry

néant *m.* nothingness, emptiness

nef *f.* nave

néfaste harmful

net, nette clearly

nettoyer to clean

neuf, neuve new

noir black, dark

noiraud swarthy

noix *f.* walnut

nombre *m.* number; **en -** numerous

nombreux, nombreuse numerous

notamment particularly

note *f.* bill; **— de frais** expense account

nourrir to feed

nourriture *f.* food

nouveau, nouvel, nouvelle new, another **à —** again

nouvelle *f.* piece of news

noyer to drown

nu naked, deserted

nul, nulle no one, no; **nulle part** nowhere

nullement not at all

obéissance *f.* obedience

odeur *m.* scent

œil *m.* eye; **d'un coup d'—** at a glance

œuvre *f.* work; **bonnes —s** works of charity

office *m.* service, divine worship, kitchen

oignon *m.* onion

oindre to anoint

ombre *f.* shadow

omettre *p.p.* **omis** to omit

or *m.* gold

orage *m.* storm

oratoire *m.* private chapel

ordonné ordained

orémus *m.* prayer

orgue *f.* organ

orgueil *m.* pride; **péché d'—** sin of pride

orgueilleux, orgueilleuse proud

oser to dare

ôter to remove, take off

oubli *m.* oblivion

oublier to forget; **s'—** to be forgotten

outré outraged

ouvert open

ouvrage *m.* work, duty
ouvrier *m.* worker
ouvrir *p.p.* **ouvert** to open

paille *f.* straw; **feux de –** flash in
the pan
paix *f.* peace
panneau *m.* panel; **donner dans le
–** to fall into a trap
pape *m.* pope
paraître *p.p.* **paru** to appear, seem
paravent *m.* screen
parchemin *m.* parchment
parcourir to glance through
par-devers in the presence of
pardieu you bet
paré decked out, dressed up
pareil, pareille like, similar, such
parent *m.* relative
parer to parry, ward off
parfois sometimes
parjure *m.* perjury
parmi among
paroissier *m.* parishioner
parole *f.* word; **avoir la–** to be
permitted to speak
parquet *m.* floor
part *f.* share, portion; **d'autre –**
on the other hand; **de la – de** in,
on behalf of; **nulle –** nowhere;
quelque - somewhere
partager to share
parti *m.* faction
particulier *m.* individual; **en –** in-
individually; **dans son –** privately
partie *f.* part, game; **en faire –** to
form a part of; **– de cricket**
game of cricket
partir to leave; **à – de** from now
on
partout everywhere
parvenir *p.p.* **parvenu** to reach
parvenu *m.* upstart
pas *m.* step; **faire les cent -** to
pace up and down
passage *m.* crossing, sojourn

passe-passe *m.* sleight-of-hand; **le
tour de -** trick
passer to pass, be considered, miss,
skip; **– à la question** to put
through torture; **se –** to happen,
take place; **il faut que jeunesse se
passe** youth will have its fling;
– de to do without
paume *f.* palm; **jeu de -** tennis
pauvreté *f.* poverty
payer to pay; **– de mine** to be
good-looking, be striking in appearance
pays *m.* country, land
paysan, paysanne *m., f.* peasant
peau *f.* skin, flesh
péché *m.* sin; **– d'orgueil** sin of
pride; **– véniel** venial sin
pécheur *m.* sinner
peigne *m.* comb
à peine hardly, scarcely
peine *f.* trouble; **valoir la -** to be
worthwhile
peler to peel
penaud shamefaced
pendant during, for; **– que** while
pendre *p.p.* **pendu** to hang
pénible difficult, painful
pensée *f.* thought
périr to perish
permettre *p.p.* **permis** to permit
personnage *m.* character
personne (*used with* ne...) no one
personne *f.* person; **se saisir de la
– de quelqu' un** to seize someone
bodily
perte *f.* loss, casualty
pesant *m.* weight; **– d'or** weight
in gold
peser to weigh
pétiller to sparkle
peu little; **– à –** gradually; **sous
–** shortly
peur *f.* fright, fear; **avoir -** to be
afraid; **faire – à** to frighten;
de – for fear of; **prendre –** to
become afraid

pièce *f.*   room, play
pied *m.*   foot; **coup de – ** kick;
  – à – with all one's strength;
  au – de at the foot of
piège *m.*   trap
pierre *f.*   stone
pierreries *f. pl.*   jewels
piétaille *f.*   foot soldier
piétiner   to mark time
pilier *m.*   pillar
piller   to pillage
pincé   stiff
pion *m.*   pawn
piquer   to stick, stick into
pire   worse
pis   worse; **tant –** too bad
piteux, piteuse   pitiful
place forte *f.*   fortress, stronghold
se plaindre *p.p.* **s'est plaint**   to
  complain
plaire *p.p.* **plu**   to please
plaisanter   to joke
plaisanterie *f.*   joke
plaisir *m.*   pleasure
plan *m.*   plane; **au premier –** in
  the foreground
planté   stuck
plat *m.*   dish, course, platter
plateau *m.*   stage
plein   full; **en –e forêt** in the middle of the forest; **à pleines mains**
  generously
plénier, plénière   plenary
pluie *f.*   rain
plupart *f.*   most
plus   more, any longer; **non –**
  neither, not that either; **ne...**
  plus no longer, no more
plutôt   rather
poids *m.*   weight
poignard *m.*   dagger
poignarder   to stab
poil *m.*   hair
poing *m.*   fist; **l'épée au –** sword
  in hand   **refermer le –** to clench
  one's fist
point (*used with* **ne...**)   not

pointe *f.*   touch
pointilleux, pointilleuse   fastidious,
  punctilious
poireauter (*fam.*)   to hang around
porte *f.*   door; **– à deux battants**
  double doors
portée *f.*   reach; **à la – de** within
  reach of
porteur *m.*   bearer
posément   soberly, calmly
poste *m.*   position
poster   to stand guard
pot *m.*   mug
pou *m.* **poux** *pl.*   louse
poudre *f.*   powder
pouffer   to burst out laughing
poupe *f.*   stern
pourfendre   to cleave
pourpoint *m.*   doublet
pourrir   to rot, cause to decay
poursuivre *p.p.* **poursuivi**   to
  pursue
pourtant   nevertheless, but, still, yet
pousser   to push, urge, instigate,
  prompt, grow; **– à bout** to
  exasperate
pouvoir *m.*   power; **n'en – plus** to
  be exhausted
practicable *m.*   movable stage prop
précipiter   to rush
prendre   *p.p.* **pris**   to take; **– en**
  faute caught in one's own lie;
  – une décision to make a decision
près   near; **à ce détail –** except
  that; **– de** nearly, near
prescrit   prescribed
presque   almost
presse *f.*   crowd, throng
prêt,   ready
prétendre   to claim
prêter   to lend; **– sermon** to take
  an oath; **– l'intention à quelqu'un**
  to accuse someone of wanting to
prêtre *m.*   priest
prévarication *f.*   embezzlement
prévenir   to warn, advise

prévoir to foresee
prévôt *m.* provost
prévu scheduled
prier to pray, beg
prime *f.* premium
principe *m.* principle
privé private; **le conseil –** privy council
priver to deprive
prix *m.* price
prochain next
proche near
prodiguer to lavish
se produire to be brought about
proie *f.* prey; **être en – à** to be a prey to, be seized with
projeté dashed, hurled, thrown
se promener to walk
propre own
propriétaire *m.* owner
propriété *f.* property
protéger to protect
protester to affirm
psychologue *m.* psychologist
puanteur *f.* foul, stink; **vieille –** old foul-smelling thing
pudeur *f.* modesty
puer to stink
puis then
puisque since
puissance *f.* power
putain *f.* prostitute

quand when; **– même** nevertheless, anyway
que (*used with* ne...) only
quel, quelle what; **quelque** whatever
quelque some; **– part** somewhere
quelquefois sometimes
quittance *f.* receipt; **donner – à** to give a receipt in full
quitte discharged from, no longer in debt; **– à** even if
quitter to leave, leave behind; **– des yeux** take one's eyes off
quoique although

racaille *f.* rabble
raconter to tell, relate
raffiné refined, clever, delicate
raffiner to be subtle
rafistoler to patch up
rageur snappish
raide stiff; **étendre –** to kill at one stroke
se raidir to stiffen, brace oneself
raison *f.* reason; **avoir –** to be right
rallier to rally
ramasser to pick up, gather
rancœur *f.* grudge, malice, rancor
rançon *m.* ransom
rançonner to ransom
rappeler to remind, recall; **se –** to remember
rapport *m.* relationship; **par – à** in relation to
rapporter to report
rapprochement *m.* reconciliation
se rapprocher to draw near, approach
se raser to shave
rasséréné calmed
rassombri gloomy again
se rassurer to be reassured
rater to miss
rattraper to catch up, make up, grab, catch
rave *f.* French turnip
ravi delighted
se rayer to scratch
réagir to react
rechange *m.* replacement; **chemise de –** a change of shirt
réchauffer to warm (up); **se –** to warm up
rechercher to seek out
réclamation *f.* claim
réclamer to demand, call for
reconnaître *p.p.* **reconnu** to recognize
recourir to have recourse to
se recroqueviller to huddle, curl up

reculer to draw back, back out;
  avoir un recul to step back;
  sortir à reculons to back out
rédiger to draft
redoubler to increase
redoutable formidable
se redresser to straighten out
réduire to reduce
se refaire to make oneself over
refermer to close; **– le poing** to
  clench one's fist
réfléchir to think, meditate
regard *m.* glance, look, face, expression; **– en coin** side glance
regarder to look at, concern;
  – devant to look straight ahead
registre *m.* record
règle *f.* rule; **de –** obligatory
reglé decided
régler to pay
reine *f.* queen
reins *m. pl.* back
rejeter to throw out again
rejoindre to meet, catch up with;
  se – to meet
se réjouir to rejoice
relent *m.* stale smell
relever to get up, release, relieve,
  raise; **– de la juridiction de** to
  be under the jurisdiction of; **se –**
  to rise, go up, get up, stand up
remarquer to notice; **faire –** to
  bring to someone's attention
rembrunir to sadden
remède *m.* remedy
remettre to put on (again), entrust,
  hand over; **– droit** to straighten;
  – en cause to question; **– en
  question** to question; **se – à** to
  begin again, go back to, return to
remonter to return
remplir to fill
remuant active
rencontre *f.* meeting
rencontrer to meet

rendre to render, make, return;
  – service à to do a favor
rêne *f.* rein
renfermer to contain, hold
renifler to sniff
renouer (*avec*) to resume, renew
rentrée *f.* return
renversé overturned
se renverser to fall into; **– sur son
  fauteuil** to fall into his armchair
renvoyer to send away, dismiss;
  send back, return
repartir to leave
repasser to go back to, slip back on
repérer to take note of
répit *m.* breathing-space, respite
répondre to answer; **– de quelqu'un**
  to hold oneself responsible for
  someone
repos *m.* rest
repousser to push away
reprendre to begin again, take up
  again, take back; **– son souffle** to
  catch one's breath; **se –** to pull
  oneself together
répugner to repel
requête *f.* request
se ressaisir to regain one's self-
  control
ressentir to feel
se resservir de to use again
ressortir to come out again, re-
  appear
se ressouvenir to remember again
reste *m.* rest; **du –** besides
rester to remain, be left
rétablir to restore
retenir to restrain
se retirer to withdraw
retordre to twist
retourné turned up
se retourner to turn around, turn
  over
retrousser to tuck up
retroussis *m.* top (of a boot)
retrouver to join; **se –** to find
  oneself

réunir to assemble, gather, put together

réussir to succeed

revanche *f.* revenge; **en–** on the other hand

réveil *m.* awakening

réveiller to awaken

revenir to return; **– sur** to reconsider, go back on

rêver to dream

révérence *f.* bow

rêveur dreamily

se revoir to see each other again

revue *f.* inspection of troops

se rhabiller to get dressed again

ricaner to snicker, sneer

rideau *m.* curtain

rien nothing; (*used with* ne...) nothing **– n'y fait** nothing works

rigoler to laugh

rigueur *f.* rigor, severity; **de –** indispensable; **un homme de –** strict man

riposter to retort

rire *m.* burst of laughter

rire *p.p.* **ri** to laugh; **éclater de –** to burst out laughing

rôder to prowl

roi *m.* king

rond round; **tourner –** to run smoothly

rondeur *f.* roundness

ronflement *m.* snoring

ronfler to snore

roter to belch; **– d'aise** to belch freely

rouer (de coups) to thrash

rouillé rusty

rouler to roll

rousse *f.* red-head

route *f.* road; **faire fausse –** go up the wrong alley

royaume *m.* kingdom

royauté *f.* royalty

rude powerful

rudement awfully, certainly

rugir to roar, bellow

ruisselant streaming

rusé clever

sable *m.* sand

sabot *m.* hoof

sacerdotal priestly

sacrer to crown

sagesse *f.* wisdom

saigner to bleed

sain healthy

sainteté *f.* holiness

saisir to seize; **se — de la personne de quelqu'un** to seize someone bodily

sale dirty; **avoir une — tête** to have a nasty mug

salir to dirty, soil

saluer to greet, take leave of, salute, bow to

salut *m.* safety, salvation, curtsy

sang *m.* blood; **verser le –** to shed blood

sanglier *m.* wild boar

sanglot *m.* sob

sans without; **– doute** probably; **– que** without

sauf except

sauf-conduit *m.* safe-conduct

sauter to jump; **– dessus** to pounce upon

savoir *p.p.* **su** to know; **– gré** to be grateful; **en — plus long** to know more about

sceau *m.* seal

sceller to seal

scène *f.* stage

sec, sèche dry; **il boit —** he is a hard drinker; **au–** in a dry place

secoué shaken

secourable helpful, assisting

secours *m.* help

séculier secular

seigneur *m.* lord

seigneurie *f.* lordship

sein *m.* bosom

selle *f.* saddle

selon according to
semblable similar
semblant *m.* semblance, appearance;
  faire — de to pretend
sembler to seem
semence *f.* seed
sensible sensitive
sensiblement visibly
sentir to feel, sense; **se—** to feel
serment *m.* oath; **prêter—** to take
  an oath
sermonner to sermonize
serré clenched
service *m.* favor; **rendre — à** to
  do a favor
servir to serve; **—à** to be of use;
  à quoi cela sert-il? what's the
  good of; **se — de** to use
seuil *m.* threshold
seul alone, only, mere
seulement only, but
sidéré thunderstruck
siècle *m.* century
siège *m.* seat
siègeant sitting in tribunal
sien *m.* his
siffler whistle
siffloter to whistle softly to oneself
signe *m.* signal
se signer to make the sign of the
  cross
signifier to indicate
simulacre *m.* sham
singe *m.* monkey
sinon else, if not, otherwise
soie *f.* silk
soif *f.* thirst; **crever de —** to die
  of thirst
soigner to care for
soigneusement carefully
soin *m.* care
soit so be it
sol *m.* ground, earth
soldat *m.* soldier
sommairement promptly, summarily
sommation *f.* summons

somme *f.* total; **coquette —** a tidy
  sum; **— toute** in short
sommeil *m.* sleep
sommer to call
son *m.* sound
sonder to probe
songer to think
sonnerie *f.* ringing, sounding; **— de
  trompe** sounding of hunting horns
sort *m.* destiny
sorte *f.* way; **en quelque —** in
  some way
sortir to go out, leave, come out of
sot, sotte foolish
souci *m.* care
soucieux, soucieuse worried
soudain suddenly
souffle *m.* breath; **reprendre son —**
  to catch one's breath
souffler to blow out
souhaiter to wish
soulagé relieved
soulagement *m.* relief, mitigation
se soûler to get drunk
soulèvement *m.* uprising
soulever to lift; **se—** to rise up,
  rebel
soulier *m.* shoe
souligner to stress
soumettre *p.p.* **soumis** to submit
soumis submissive
soupçonner to suspect
soupir *m.* sigh
sourd dull
sourd *m.* deaf person
sourdement heavily, dully
sourire *p.p.* **souri** to smile
sournois crafty, artful, sly
sous under; **— peu** shortly
soutane *f.* surplice
soutirer to draw off; **se — quelques
  sous** to get some money out of
subit sudden
suer to perspire
sueur *f.* sweat

suffire *p.p.* **suffi** to suffice
suffisant adequate
suisse Swiss
suite *f.* continuation; **tout de –** immediately, soon
suivant according to
suivre to follow
supplier to beg, supplicate
supporté tolerated
surgir emerge
surprendre to surprise
sursauter to start, jump
surveiller to guard
sympathique likeable

tabouret *m.* stool
taille *f.* cutting; **frapper d'estoc et de –** to cut and thrust
tailler to cut
taire to silence; **faire –** to silence; **se –** *p.p.* **s'est tu** to be silent
tandis que while
tanner to tan; **se – le derrière** to tan one's hide
tant so much, so many; **– que** as long as; **en – que** as, in one's capacity as; **– pis** too bad
taper to strike, hit, tap; **– dessus** to pitch into
tapisserie *f.* tapestry
tarder to delay, be long
tas *m.* heap, pile
tellement so
tempête *f.* tempest
temps m. time; **avoir le –** to have time; **c'était le bon –** those were the good old days; **de – en –** from to to time; **de tout –** from time immemorial; **un bout de –** a short while
tenaille *f.* pincers; **mâchoire de –** arm of a pincer
tendre *p.p.* **tendu** to extend, hold out
tendu tensed

teneur *f.* terms, purport
tenir p.p. **tenu** to tie, hold; **être –** to be bound, obliged to; **tenez** look; **– à** to be fond of, cling to; **– bon** to hold fast; **se –** to be connected, related, stand, hold oneself; **– droit** to set straight; **se – mal** to be hunched over
tentative *f.* attempt
tenter to attempt, tempt
tenture *f.* hanging, tapestry, curtain
terre *f.* ground, land; **un genou en –** kneeling on one knee; **par – ** on the floor, ground; **de – ** earthen
tête *f.* face, expression on the face of, head; **faire la – de quelqu'un** to disguise oneself as somebody; **en –** at the head; **avoir une sale –** to have a nasty mug
têter to suckle
tiens is that so?
tiers *m.* third
tirer to pull, draw; **se – d'affaires** to extricate oneself; **– la langue** to stick out one's tongue
titre *m.* title
tituber to reel
toiser to eye all over, look up and down
tombeau *m.* tomb
tomber to fall; **– bien** to come at the right time; **– à genoux** to fall on one's knees
ton *m.* tone of voice
tondre to shear
tonitruant thundering
tonnant thunderous
tonner to thunder
tonnerre *m.* thunder
torchère *f.* candelabrum
tort *m.* wrong; **avoir –** to be wrong
tôt early
toujours still, always

tour *m.* turn; **à (son) (leur)—** in turn; **jouer un —** to play a trick; **— de passe-passe** trick

tournant *m.* bend, turning

tournée *f.* tour

tourner to turn; **—rond** to run smoothly

tournois *m.* tournament

tournure *f.* turn, course; **— de phrase** construction of a sentence, expression

tout all, everything, very, totally, completely; **ça ne fait pas du —** it's not at all; **tous les deux** both; **— à fait** completely; **— à l'heure** in a little while, a little while ago; later; **— de même** anyway, in any case; **— au moins** at the very least, at least; **— de suite** soon, immediately; **— d'un coup** suddenly; **— le monde** everybody; **de — temps** from time immemorial; **voilà —** that's all

trace *f.* trail

trahir to betray

trahison *f.* treason

train *m.* speed, pace, rate; **être en — de** to be (in the act of) doing

traîner to drag

traiter to treat

traître *m.* traitor

traîtrise *f.* treachery

trancher to cut; **l'écuyer tranchant** gentleman-carver; **— sur** to take a stand against

traqué hunted

travail *m.* work

travers *m.* breadth; **à —** through; **de —** askew

traverse *f.* shortcut

Trésor *m.* Treasury

trève *f.* truce

tricher to cheat

tringle *f.* curtain rod

trogne *f.* bloated face

trompe *f.* hunting horn; **sonnerie de —** sounding of hunting horns

tromper to deceive; **se —** to make a mistake, be deceived

trou *m.* hole

trouble turgid

troupeau *m.* flock

trouver to find

tuer to kill

utile useful

vague *f.* wave

vaincre *p.p.* **vaincu** to defeat, conquer

vainqueur *m.* victor

vaisselle *f.* dishes

valeur *f.* valor, value

valoir to be worth; **— mieux** to be better; **se faire —** to prove one's worth; **— la peine** to be worthwhile; **— autant** to be just as well

se vautrer to sprawl

velours *m.* velvet

venaison *f.* venison

se venger to take vengeance

véniel venial; **péché —** venial sin

venir to come; **— de** to have just

vent *m.* wind; **— debout** head-wind

ventre *m.* belly; **labourer le —** to feel hatred for

vêpres *f. pl.* vespers

vérité *f.* truth; **en —** as a matter of fact

vers toward

verser to pay, spill; **— le sang** shed blood

version *f.* translation

vertige *m.* vertigo, dizziness

veste *f.* jacket

vêtements *m. pl.* clothes

se vêtir *p.p.* **s'est vêtu** to dress

veule (*fam.*) weak, soft

veuve *f.* widow

viande *f.* meat

vibrer to vibrate

vide empty

vider to empty; **– un pot** to drink up

vieillard *m.* old man

vieillir to grow old

vieux, vieil, vieille old; **mon –** old fellow, old chap

vilain nasty, ugly

viol *m.* rape

violer to rape

visage *m.* face

vivant alive; **de son –** during his lifetime; **tout –** still alive

vivement excitedly, vigorously, spiritedly

vivre *p.p.* **vécu** to live

vivres *m. pl.* provisions

vœu *m.* vow, wish

voile *f.* sail

voix *f.* vote; **enfler la –** to raise one's voice

voler to snatch, steal, fly

volonté *f.* desire, wish

vomir to vomit

vomissure *f.* vomit

vouloir *p.p.* **voulu** to want; **en – à** to bear a grudge against; **– dire** to mean

voulu deliberate, intentional

voyant showy, loud

voyou *m.* crook

yeux *m. pl.* eyes; **quitter des –** to take one's eyes off

zèle *m.* zeal; **faire du –** to be zealous